岩波現代文庫

社会 19

小平邦彦

怠け数学者の記

岩波書店

はしがき

私はプリンストンの高級研究所のヘルマン・ワイル教授に招ばれて昭和二四年の八月にまだ到る所焼跡が残っていた東京を後にして渡米した。はじめは一年間高級研究所に滞在して翌年帰国する予定であったが、ずるずると延び、三年目に家族をよんで一八年間アメリカに滞在して四二年の八月に帰国した。本書は帰国後折にふれて書いたエッセイ、講演の記録、等を集めたものである。

唯一つの例外は「プリンストンだより」である。渡米した当時のアメリカは治安がよく物価が安く、焼跡に建てたバラックに住んで食べるものもろくになかった東京から来た私には実に素晴らしい国に見えた。英語は通じなかったが高級研究所には優秀な秘書がいて黙っていてもこちらの意図を察してすべての用事を要領よく片付けてくれた。まるでお伽の国に引越したみたいであった。「プリンストンだより」はお伽の国に単身赴任した私が留守宅の家内宛に書いた手紙からプライバシーに亙《わた》る部分と他人の悪口等差し障りのある部分を削除したものである。

昭和五〇年一〇月の三〇日と三一日の二日に亙って通商産業省と機械振興会の主催で国

際シンポジウム「産業と社会――その進歩のための条件」が開催された。「科学・技術と人類の進歩」はそこで行った講演の記録である。当時まだ知られていなかった「核の冬」の発見は人類は既に滅亡の危機に直面していることを明らかにした。「付記」はこのことについて新しく書き足したものである。

「原則を忘れた初等・中等教育」は昭和五七年の暮に中央教育審議会教育内容等小委員会で述べた意見を敷衍《ふえん》したもの、「追記」は昨年の八月に「数学教育の会」で行った講演『何のために急ぐのか』の要点をまとめたものである。

昭和三〇年に私の長女はプリンストンの中学校でSMSG (School Mathematics Study Group) の教科書を使う新数学 (New Math) の教育実験の級に編入されるという不運に見舞われた。この新数学に端を発した数学教育の現代化が世界的な流行となった。アメリカで現代化を推進したのは一部の数学者と教育学者で多くの数学者は現代化に反対であったが、どういう訳か反対が多かったことは日本に伝わらなかったらしく、四〇年代に入って文部省の指導要領が現代化を大幅に取り入れ、日本でも小学校で集合を教えるようになった。長女の新数学の宿題を手伝わされて現代化の馬鹿らしさが身にしみていた私は機会あるごとに現代化反対のエッセイを書いた。文部省が一旦定めた現代化の方針を変えようとは思われなかったからである。ところが五〇年代の指導要領の改定で現代化はあっさり後退してしまった。現代化が確固たる信念に基づいたものでなく単にアメリカの流行を追ったたに過ぎなかったからであろう。現代化は後退したが現代化によって追放されたユークリッド平面幾何は復活しなかった。これが現代化の致命的な後遺症であろう。現代化反対のエッセイのサンプルとして「New Math 批判」「数学教育を歪めるもの」「不可解な日本の数学教育」の三つを第Ⅱ部に掲げた。

昭和六一年三月

著　者

目次

Ⅱ

Ⅲ

I

ノートを作りながら

私にとって数学の本(論文も含めて)ほど読みにくいものはない。数百ページもある数学の本を初めから終りまで読み通すことは至難の業である。数学の本を開いてみると、まずいくつか定義と公理があって、それから定理と証明が書いてある。数学というものは、わかってしまえば何でもない簡単で明瞭な事柄であるから、定理だけ読んで何とかわかろうと努力する。証明を自分で考えてみる。たいていの場合は考えてもわからない。仕方がないから本に書いてある証明を読んでみる。しかし一度や二度読んでもなかなかわかったような気がしない。そこで証明をノートに写してみる。すると今度は証明の気に入らない所が目につく。もっと別な証明がありはしないかと考えてみる。それがすぐに見つかればよいが、そうでないと諦めるまでにだいぶ時間がかかる。こんな調子で一カ月もかかってやっと一章の終りに達した頃には、初めの方を忘れてしまう。仕方がないからまた初めから復習する。そうすると今度は章全体の排列が気になり出す。定理三よりも定理七を先に証明しておく方がよいのではないか、などと考える。そこで章全体をまとめ直したノートを作る。これでやっと第一章がわかった気がして安心するのであるが、それにしてもひどく時間がかかるので困る。数百ページある本の終章に達するのは時間的にも不可能に近い。何か数学書を速く読む方法があったら教えて貰いたいものである。

あるいは、途中で余計なことを考えずに素直に終りまで読んだらよいではないか、といわれるかも知れない。確かにその通りであって、数学の本でも、私の専門と縁のない方面の本ならば、割合に素直に速く読める(もっとも専門と縁のない数学書を読むことはめったにないが)。しかし読んでもはたしてわかったかどうかは頗《すこぶ》るあやしいと思う。いったい数学の本(または論文)を読んでわかったとはいかなる状態をいうのか、証明を一歩一歩辿って論証に誤りがないことを確かめればそれでわかったことになるのであろうか。自分の専門とぜんぜん関係のない数学の本を読んでみると、証明の論証を確かめても、わからない定理はやはりわからないことに気がつく。証明は確かであるが、何となく全体の印象がぼやけて判然としない。これに反して自分の専門分野の定理ならば、証明を忘れてしまっても、わかるものは明晰判明にわかる。2+2=4なることがわかるのと同じように明晰判明にわかるのである。われわれが2+2=4なることを理解するのは、2+2=4なる数学的事実を感覚的に把握するのであって、論証によるのではない。定理を理解するのも、これと同様に、定理の述べる数学的事実を感覚的に把握するのであろう。証明を一歩一歩辿ってみるのは、定理を感覚的に把握するための一つの手段であって、証明の論証が正しいことを確かめるためではないと思う(有名な定理の証明が正しいことは各自が確かめるまでもなく明らかであろう)。だから定理をよく理解するためには、証明を一度読んだだけでは不十分であって、何度も読み、ノートに写し、さらに種々の問題に応用してみることが有効である。ノートに写すのも、証明を暗記するためではなく、定理の述べる数学的事実の機構を時間をかけて詳しくみるためである。このようにして定理を完全に理解してしまえば、後は証明を全部忘れてしまってもいっこう差支えない(ただし大学を卒業するまでは、試験のために証明を覚えていなければならないことはいうまでもない)。たまたま必要があって忘れてしまった証明を復習してみると、定理は$2+2=4$のごとく明白であるのに、証明の方が何となくこじつけのようにみえることさえあるのである。

数学は高度に技術的な学問である。すべて技術といわれるものを習得するには長い時間をかけて繰返し練習することが必要である。たとえばピアニストになろうと思ったら子供の頃から毎日何時間もピアノを練習するより他仕方がない。数学にもこれに似た一面があって、数学を習得するには、毎日長い時間をかけて繰返し練習することが必要であると思う。これによって数学的事実を把握する感覚が発達するのである。自分の専門と縁のない数学の本を読んで、証明を確かめても定理がわからないのは、その方面の感覚が発達していないからであろう。

(『数学セミナー』一九七〇年八月号)

数学の印象

数学とは何か、よくわからない。しかし数学に関心のある人はおのおの数学とはじつはこんなものではないかという感じをもっていると思う。本稿では、私のような専門の数学以外のことはよくわからない単純な数学者が数学を研究するとき、数学をどんなものと感じているか――ある数学者のみた数学の印象――を理屈ぬきに率直に述べて読者の参考に供したいと思う。

一般に、数学は緻密な論理によって組み立てられた学問であって、論理とまったく同じではないとしてもだいたい同じようなものと思われているけれども、じっさいには、数学は論理とはあまり関係がない。もちろん数学は論理に従わなければならない。しかし数学における論理の役割は、文学における文法のようなものであろう。文法にあった文章を書くこととそれをつなぎあわせて小説を書くことは全然別な問題であるごとく、論理的に正しい推論をすることとそれを積みかさねて数学の理論を構成することとはまったく次元の違う問題である。

また、普通の論理は誰にでもわかるのであるから、数学が論理に帰着されるものならば、数学も誰にでもわかるはずである。ところが、中学校あるいは高等学校で数学のわからない生徒が多いことは周知の事実である。語学はよくできるけれども数学がうまくいかない学生は稀ではない。だから私は数学は本質的に論理と異なると思う。

数覚

数学以外の自然科学、たとえば物理学を考えてみると、ようするに、物理学とは自然現象のなかの物理的現象を研究する学問であるといえよう。これとおなじ意味で、数学とは自然現象のなかの数学的現象を研究する学問であると思う。そして数学を理解するということは数学的現象を「見る」ことであろう。ここで「見る」といったのは、目で見るのとは違うけれども、ある種の感覚によって知覚することである。この感覚は、ちょっと説明しがたいけれど、明らかに論理的推理能力等とは異なる純粋な感覚であって、私には視覚に近いもののように思われる。これを直観とよんでもよいのであろうが、純粋な感覚であることを強調するために、以下この感覚を「数覚」とよぶことにしよう。直観というと「一瞬にして真相を悟る」というような意味が含まれていてぐあいが悪いのである。数覚の鋭さは、たとえば聴覚の鋭さ等と同様に、いわゆる頭のよしあしとは関係がない(本質的に関係がないという意味で、統計的に相関関係がないという意味ではない)。しかし数学を理解するには数覚によらなければどうにもならないのであって、数覚のない人に数学がわからないのは音痴に音楽がわからないのと同様である(このことは数学のできない子供の家庭教師をしてみればすぐにわかる。こちらには目のまえに見えている事柄が子供にはどうしても見えないので、説明に苦しむのである)。

数学者はたとえば定理を証明するとき主として数覚をもちいていることを自覚しないから、論理的に厳密に証明したと思うのであるが、じつはそうでないことは、証明を全部形式的に論理記号で書いて見ればわかる。それはあまりにも冗長なものになってしまうのでじっさい上不可能なのである(もちろん証明が論理的に厳密でないと言っているのではない。数覚によって明らかなことはその論理的演繹を略してさきへ進むと言っているのである)。近頃数学的センスということがたびたび言われるが、数学的センスの基礎となる感覚が数覚であると言ってよい。数学者はすべて鋭い数覚をもっているから、かえってそれを自覚しないのであろう。

数学も自然現象を対象とする

数学の対象を自然現象の一部と考えるのはずいぶん乱暴であると言われるかも知れない。しかし数学的現象が物理現象と同様な厳然とした実在であることは、数学者が新しい定理を証明したとき、定理を「発明した」と言わず「発見した」というところに端的にあらわれていると思う。私もいくつか新しい定理を証明したが、決して定理を自分で考え出したとは思わない。前からそこにあった定理をたまたま私が見つけたのに過ぎないという感じがするのである。

たびたび指摘されるように、数学は理論物理に不思議なほど役に立つ。それはあたかも物理現象はすべて数学の法則にしたがっているのではないかと思われるほどである。しかも、多くの場合、物理の理論に必要な数学はその理論が発見されるはるか以前に数学者によってあらかじめ準備されていたのである。そのよい例はアインシュタインの一般相対論におけるリーマン空間であろう。数学がこのように物理の役に立つ理由は何であろうか？もちろん数学は物理学の言葉であるといってかたづけてしまえばそれまでの話である。たとえば一般相対論におけるリーマン幾何の役割は一種の言葉であると言えるかも知れない。しかし量子力学においては数学がまったく神秘的魔法的な役割を演ずるのであって、とうてい単なる言葉とは考えられないのである。

量子力学の教科書をみると、はじめに光の干渉、電子の散乱等の実験の説明があって、それから光子、電子等の粒子の状態が波動関数(すなわちあるヒルベルト空間に属するベクトル)であらわされることが示され、いくつかの状態の波動関数に関する重ね合せの原理が導きだされる。重ね合せの原理は、状態Aが二つの状態BとCの重ね合せであるならば、Aの波動関数はBの波動関数とCの波動関数の一次結合であることを主張するのであって、量子力学の基本原理である。

粒子の状態とは何であろうか？　たとえば加速器内の電子の状態は加速器によって定まるのであるから、粒子の状態とはその粒子の置かれた環境のことであると考えられる。したがって量子力学では複雑極まる環境をただ一つの波動関数（ベクトル）であらわすのであって、ここでまず単純化、数学化がおこなわれる。状態Aが状態BとCの重ね合せであるとはいかなることであろうか？　教科書にある光の干渉等の場合についてはその意味は明らかであるように思えるが、一般の場合に環境Aが環境BとCの重ね合せであるということの意味は理解しがたいと思う。不確定性原理、たとえば粒子の位置と速度を同時に観測できないということは普通観測による攪乱によって説明されているけれども、窮極にはそれは粒子を位置の観測装置と速度の観測装置のなかに同時に置くことはできないということであろう。つまり粒子はある二つの環境のなかに同時には住めないのである。このような二つの環境の重ね合せとは何であろうか？　不可解と言わざるをえない。一方、波動関数の一次結合という演算は数学的にはまったく初等的な簡単明瞭な事柄である。重ね合せの原理はこの簡明な数学の演算が複雑怪奇な状態の重ね合せをあらわすことを主張している。つまり数学の演算が量子力学の対象とする物理現象を支配しているというのであろう。重ね合せの物理的意味がわかっていてそれを数式で表現したのではなく、一次結合が状態の重ね合せをあらわすことを公理と考え、逆に数学の演算によって重ね合せの意味を確定したものと思われる。ファインマン（R. P. Feynman）が言うように、重ね合せの原理をこれ以上説明することはできないのであろう。量子力学は数学の不思議な魔力にもとづいているとしか考えられない。ゆえに私は物理現象の背後に数学的現象なるものが厳然として存在していると思う。

数学は実験科学である

数学者は物理学者が自然現象を研究するのと同様な意味で数学的現象を研究していると思う。物理学者はいろいろの実験をするが、数学者はただ考えるだけではないかと言われるかもしれない。しかし、この場合「考える」というのは思考実験の意味であって、たとえば試験の問題を「考える」のとは性格が違うと思う。試験の問題の場合にはある定まった範囲の既知の事柄を適当に組み合わせれば一時間以内にかならず解けることがわかっているのであって、考える対象も考える方法も目のまえに与えられている。ところが実験はもともと未知の自然現象を調べるためのものであるから、もちろんその結果は予想できないし、また何も結果がえられないかもしれない。数学の場合もまったく同様であって、未知の数学的現象を探究するための思考実験であるから考えるといっても考える対象が未知であって、何を考えたらよいかわからないわけである。ここに数学研究上の最大の困難があると思う。

一番わかりやすい形の思考実験は実例を調べることであろう。例として偶数は最低何箇の素数の和として表わされるかという問題を考えてみよう。実際の偶数についてあたってみると、2は素数だから別として、4＝2＋2, 6＝3＋3, 8＝3＋5, 10＝5＋5, 100＝47＋53, ……のように、いつでも二つの素数の和としてあらわされる。この実験の結果から、「2以外のすべての偶数は二つの素数の和としてあらわされる」という定理が成り立つことが予想される(これが古来有名なゴールドバッハの予想であって、現在まだ解決されていない)。このように実例をいくつか調べて定理の形を予想できれば、後はその定理を証明することを考えればよいわけで、研究の最初の難関は突破されたのである。もちろん数学であるから、実例をいくら積みかさねてもそれだけでは定理の証明にならない。証明は別に考えなければならない。

初等整数論の定理にはまずこのような実験の結果から予想され、後で証明されたものがいくつかあるのであろう。また、前世紀のおわりから今世紀のはじめにかけて、エンリケス(F. Enriques)、カステルヌオヴォ(G. Castelnuovo)等のイタリアの代数幾何学者によってえられた驚くべき成果には、実験にもとづくものが少なくないと思われる。実際トッド(J. A. Todd)は一九三〇年頃発表した論文で「代数幾何は実験科学である」とはっきり断っている。彼らの定理がすべて厳密に証明されるようになったのは最近のことであるが、この場合注目すべき点は、彼らのあたえた証明がすこぶる不完全であるにもかかわらず、定理が正しかったことである。

新定理を発見するということ

最近の数学の対象は一般的にひじょうに抽象的であって、実例がまた抽象的で考えにくい。したがって実例を調べて定理の形を予想することは多くの場合まず不可能である。このような状況のもとで新定理を発見する思考実験の機構がどんなものであるか、私にはよくわからない。ただ漠然と何を考えたらよいかを考えろといっても無理ではないかといわれるであろう。実際そのとおりであって、いくら考えても結局何にもならないことが多い。それならば数学の研究はひじょうに困難な仕事であるかというと、かならずしもそうではない。ときには何もしないのに考えるべき事柄がつぎつぎと自然に見えてきて、わけなく研究が進展することがある。このときの実感は夏目漱石の『夢十夜』のなかの運慶が仁王を刻む話によくあらわれていると思う。話の一部を引用すると、

運慶は今太い眉を一寸の高さに横へ彫り抜いて、鑿《のみ》の歯を竪に返すや否や斜《は》すに、上から槌を打ち下した。堅い木を一と刻みに削つて、厚い木屑が槌の声に応じて飛んだと思つたら、小鼻のおつ開いた怒り鼻の側面が忽ち浮き上がつて来た。其《その》刀の入れ方が如何にも無遠慮であつた。さうして少しも疑念を挟《さしはさ》んで居らん様に見えた。

「能くあゝ無造作に鑿《のみ》を使つて、思ふ様な眉《まみへ》や鼻が出来るものだな」と自分はあん

まり感心したから独言の様に言つた。するとさつきの若い男が、「なに、あれは眉《まみへ》や鼻を鑿《のみ》で作るんぢやない。あの通りの眉や鼻が木の中に埋つてゐるのを、鑿と槌の力で掘り出す迄だ。丸で土の中から石を掘り出す様なものだから決して間違ふ筈はない」と云つた。

こういうときには、世の中に数学ほどやさしい学問はないと思われてくる。将来数学をやろうかどうしようかと迷っている学生にあったら、「ぜひとも数学にしたまえ。数学ほどやさしいものは他にないから」とすすめたくなるのである。

漱石の話の続きの要点は次のとおりである。

自分は彫刻とはそんなものか、それなら誰にでも出来る事だと思ひ出した。それで自分も仁王が彫つて見たくなり、家へ帰つて、裏庭に積んであつた薪を片つ端から彫つて見た。しかし不幸にしてどの薪にも仁王は見当らなかつた。遂に明治の木には到底仁王は埋つてゐないものだと悟つた。

数学も同様であって、たいていの木には定理は埋っていない。しかし外から見たのでは木のなかに何が埋っているかわからないから、やっぱり彫ってみるより他しかたがない。

数学の場合、彫るといっても、面倒な計算をしたり文献を調べたり、決して簡単ではない。それで多くの場合何にも出てこない。だから数学の研究はひじょうに時間がかかるのである。そして研究の成否は主として運のよしあしによるように思われる。

定理と応用

最近の数学では実例から定理を予想することは困難であるといったが、そればかりでなく、定理と実例の関係がかわってきたように見える。大学初年級程度の数学では、定理は数多くの実例に応用されるからこそ定理であって、応用のない定理など意味がないと思われるであろう。よい定理とは応用のひろい定理といってよい。関数論のコーシーの積分定理はこの意味で数学のもっともよい定理の一つである。ところが最近の数学にはひろい応用をもつ定理はあまり見あたらない。それどころか応用が皆無に近い定理も稀ではない。口の悪い某氏曰く「現代の数学には、定理があって応用例の無い数学と、例だけで定理がない数学の二種類しかない」と。現代数学の立場からは「応用があろうとなかろうと、よい定理はよい定理だ」というのであろう。しかし私には応用のない定理というのはどうも物足りないのである。

数学の唯一の理解のしかた

研究でなく、ただ本や論文を読むときでも数学はひじょうに時間がかかる。たとえば証明をとばして定理だけ読んでいけば、二、三冊の本くらいすぐ読めそうなものである。ところが実際に証明をとばして読んでいくと、なんとなく印象がうすくなって、結局わからなくなってしまう。数学の本を理解するためには克明に証明をおっていくより他しかたがない。数学の証明は単なる論証ではなく、思考実験の意味があるのであろう。そして証明を理解するというのは、論証に誤りがないことを確かめるのではなく、自分でもう一度思考実験をやり直してみるということであろう。理解することはすなわち自ら体験することであると言えよう。

ここで不思議なのは、数学にはこれ以外の理解のしかたがないことである。たとえば物理ならば、最近の素粒子論でも、通俗解説書を読めば、もちろん専門家の理解のしかたとは違うけれども、一応わかる、少なくともわかったような気がする。専門家の理解のしかたとは異なる素人としての理解のしかたがあるわけである。ところが、数学の場合には、素人としての理解のしかたというものはないと思われる。数学の最近の成果について通俗解説書を書くことはまず不可能であろう。

「豊富な」理論体系

現代の数学の理論体系は、普通、公理系から出発して順次に定理を証明していくというかたちになっている。そして公理系は単なる仮定であって、矛盾を含まないかぎり、なんでもよいとされている。数学者は任意の公理系を選ぶ自由をもつわけである。しかし実際には公理系は豊富な理論体系の出発点となるものでなければなんにもならない。公理系は無矛盾であるだけでなく、豊富でなければならない。そして、このことを考慮にいれると、公理系の選択の自由はひじょうにかぎられてしまうのである。

このへんの事情を説明するために数学の理論体系をゲームにたとえるならば、公理系はゲームの規則に相当する。そして公理系が豊富であるというのはゲームがおもしろいものであることを意味する。たとえば碁盤の上に碁石をならべておこなうゲームについて考えると、現在知られているものは、囲碁、五目ならべ、二種類の朝鮮碁、の四種類しかない。つまり、この場合、知られている公理系は四つしかない。この四つ以外におもしろいゲームは考えられないのであろうか？　たとえば四目ならべ、六目ならべ、あるいはもっと一般にn目ならべはどうであろうか？　実際にn目ならべをやってみると、nが4以下のときは先手必勝でたちまち勝負がついてしまうので全然つまらないし、またnが6以上のときはいくら続けても永久に勝負がつかないのでやはりつまらない。このように新しいおもしろいゲームを発見することは容易ではない。これは私の単なる想像であるが、囲碁と同じくらいおもしろい新ゲームを発見することは多分不可能であろう。

数学も同様であって、豊富な公理系を発見することはきわめてむずかしい。公理系の選択の自由は実際上はないも同然であると思う。

理論の豊富な一般化とは

数学者は、普通、本能的に一般化を好む。たとえばある公理系Aにもとづく豊富な理論体系Sがあったとしよう。このとき誰でも考えることは、Aからいくつかの公理をのぞいた公理系Bから出発してSを一般化した理論体系Tを展開することであろう。ちょっと考えると、TはSの一般化であるからSよりももっと豊富な体系であると思われる。しかし実際にこのような一般化を試みると、多くの場合、Tの内容が期待に反してあまりにも貧弱なのでがっかりするのである。こういうとき、TはSの一般化ではなく希薄化に過ぎないといえよう。もちろんすべての一般化が希薄化であるのではない。古来数学は一般化によって発展してきた。それが、最近、一般化がしばしば希薄化に堕するようになったのは奇怪な現象と言わざるをえない。

それでは豊富な理論に発展する一般化の特徴はなんであろうか？　さらにまた、豊富な理論体系の出発点となる公理系の特徴は何か？　現代の数学はこのような問題には無関心である。たとえば群論は明らかに束論よりも豊富な体系であるが、群の公理系が束の公理系よりすぐれている点は何か？　また、位相幾何、代数幾何、多変数関数論等で基本的な層の理論の出発点は、それまでは常数であったコホモロジー群の係数を関数で置き換えるという全然くだらない(ようにみえる)一般化にすぎない。それが実は非常に豊富な一般化であった理由は何か？　これに反して射影幾何の驚嘆すべき一般化と思われた連続幾何があまり発展しないのはなぜか？　数学を一つの現象として素直に観察するときに生ずるこのような問題は枚挙にいとまがないが、それらはすべて考慮に値しない愚問であるのか、それともこのような問題に答えることを目標として数学という現象を研究する学問、すなわち数学の現象学が成立しうるのか、私にはわからないが、もしもそれが成立しうるならば、それは非常に興味ある学問となるであろう。ただ一つはじめから明らかな困難は、数学の現象学を研究するには、まず数学の主な分野をすべてひととおり理解しなければならないことであろう。このためには、まえに言ったように、厖大な時間がかかるからである。数学の現代史が書かれないのも同様な理由によると思う。

(『数学のすすめ』一九六九年五月)

一 数学者の妄想

これは本当の話だとあの嘘つきの爺やが申しました
——漱石「猫」より——

私は教養に乏しい単純な数学者で、数学とは何かという古来の難問については何も分からないし、またそれを論じる資格もないが、しかし数学を研究して生活している以上、数学についての感想というようなものは勿論もっている。これについてかつて『数学のすすめ』(本書に収録。「数学の印象」)に書いたことがある。この感想が最近次第にエスカレートして遂に「数学は森羅万象の根底をなしている」という妄想に発展した。

数学は自然科学に実に不思議な程役に立つ。しかも多くの場合、自然科学の理論に必要な数学はその理論が発見されるはるか以前に予め数学者によって準備されていたのである。そのよい例はアインシュタインの一般相対論におけるリーマン空間であろう。しかもリーマンは、われわれの住んでいる空間が果してユークリッド空間であるか、曲率をもったリーマン空間であるかは、実測によらなければ分からない、と言って一般相対論を予言しているのである。

相対論は全くアインシュタインの幾何学的世界観に基づく天才的洞察の産物である。一般に特殊相対論はアインシュタインがマイケルソン－モーレーの実験の結果に基づいて発見したと思われているようであるが、実際は実験とは独立に発見したのである。さらに一般相対論に至っては純粋な思考実験だけによって発見されたものであって、アインシュタインはその実験的検証には全然興味を示さなかったということである。それが現在に至るまであらゆる実験的検証に対して何等の破綻を示さないのは実に驚くべきことである。殊に最近の観測の結果によれば、一般相対論の基本方程式の数学的解に現われる奇怪なブラック・ホールがどうも実在するらしいといわれる。

数学がこのように自然科学の役に立つのは何故か？　勿論数学は自然科学を記述する言葉であると言って片付けてしまえばそれまでである。たとえば一般相対論におけるリーマン空間の役割は一種の言葉であると言えるかも知れない（私はそうは思わないが――単なる言葉にブラック・ホールまで予言する力があるとは考えられない）。しかし量子力学においては数学が全く神秘的魔法的な役割を演じるのであって、到底単なる言葉とは考えられない。

量子力学の教科書を見ると、はじめに光の干渉、電子の散乱等の実験の説明があって、それから光子、電子等の粒子の状態が波動関数で表わされることが示され、いくつかの状態の波動関数の重ね合せの原理が導き出される。周知のように、重ね合せの原理は、状態

Aが二つの状態BとCの重ね合せであるならば、Aの波動関数はBの波動関数とCの波動関数の一次結合であることを主張するのであって、量子力学の基本原理である。

粒子の状態とは何か？　たとえば加速器内の電子の状態は加速器によって定まるのであるから、粒子の状態とはその粒子の置かれた環境のことであると考えられる。したがって量子力学では環境を波動関数で表わすのである。状態Aが状態BとCの重ね合せであるとは如何なることであろうか？　教科書にある電子の散乱等の場合についてはその意味は明らかであるように見えるが、一般の場合に環境Aが環境BとCの重ね合せであるということの意味は理解し難いと思う。不確定性原理、たとえば粒子の位置と速度を同時に観測できないということは普通観測による攪乱によって説明されているけれども、窮極にはそれは粒子を位置の観測装置と速度の観測装置のなかに同時に置くことはできないということであろう。すなわち一つの粒子を異なる二つの環境の中に同時に置くことはできないのである。一定の速度で動いている粒子の位置を観測した途端にその波動関数が一点に縮むという奇妙な話も、速度の観測装置を瞬間に位置の観測装置で置き換えるという実際には不可能なことを想定していることから生じた錯覚ではないかと思う。

このように二つの環境の重ね合せの意味は不可解であると思う。一方、波動関数の一次結合という演算は数学的には簡明な事柄である。重ね合せの原理はこの簡明な数学の演算が複雑怪奇な状態の重ね合せを表わすことを主張している。すなわち数学の演算が量子力学の対象とする物理的現象を支配していると考えているのである。重ね合せの物理的意味がよく分っていてそれを数式で表現したのではなく、一次結合が状態の重ね合せを表わすことを公理と考え、数学の演算によって重ね合せの意味を確定したのであろう。ファインマンが言うように、重ね合せの原理をこれ以上説明することはできないのである。量子力学は数学の魔力に基づいている。故に私は物理現象の背後に数学的現象が実在していると思うのである。

われわれが見たり触ったりできる物理的実在と見ることも触ることもできない数学的実在とは根本的に違うではないかと言われるかも知れない。しかし私は巨大な加速器を用いて何万枚も写真を撮ってはじめて見出される奇妙な素粒子よりも数学の対象の方がはるかに確実な実在であると思う。素粒子の飛跡が写真に写っていると言っても、それが素粒子の飛跡であると判断するのは、素粒子論に基づく数式の計算による推論の結果であって、その推論から数学を全部除いてしまえば、写真に写ったものが素粒子の飛跡であると判断することは不可能であろう。物理的実在は数学に基づいているのである。

さらに不可思議なのは確率論である。周知のように、確率論は出たらめに起こる現象もある数学の法則に従うことを示す。しかもわれわれは現象が出たらめに起こっているか否かをそれが確率の法則に従っているか否かによって判定するのである。量子論によれば自然現象は微視的に見ればすべて確率的であるという。森羅万象の根底に数学的現象が厳然として実在していると考える所以である。

数学者は、たとえば物理学者が物理現象を研究しているのと同じ意味で、数学的現象を研究しているのである。数学を理解するということは、その数学的現象を「見る」ことである。「見る」というのは勿論目で見るのとは異なるが、ある種の感覚によって知覚することである。私はかつてこの感覚を「数覚」と名付けたことがある。数覚は、一寸《ちよつと》説明し難いけれども、論理的推理能力とは異なる純粋な感覚であって、数覚の鋭さは、たとえば聴覚の鋭さ等と同様に、いわゆる頭の良し悪しとは関係がない。一般に数学は緻密な論理によって構成された論理的な学問であると思われているが、私は数学は高度に感覚的な学問であると思う。数学を理解するには数覚によってその数学的現象を感覚的に把握しなければならないのであって、論理だけではどうにもならないのである。数覚に欠けている人に数学が分からないということは、数学が出来ない子供の家庭教師をしてみればすぐに分かる。こちらには目の前に見えている現象が子供にはどうしても見えないので説明に苦しむのである。しかもその子供が社会問題等について堂々たる議論を展開するので唖然とするのである。普通の論理は誰にでも分かるのであるから、数学が論理に帰着されるものならば、数学も誰にでも分かる筈《はず》である。ところが、中学校、高等学校で数学が分からないという生徒が少なくないことは周知の事実である。語学の天才で数学はどうもよくできないという生徒も決して珍しくない。田辺元氏ははじめ数学科に入学されたが、講義は面白くてよく分かるけれども演習問題がどうしても解けないので、数学を諦めて哲学に転向されたということである。田辺哲学の論理はわれわれ数学者の理解を絶した難解なものであるが、この難解な論理を展開された田辺氏が数学を諦められたという一事をもってしても数学と論理は別なものであることが分かる。私は、数学にとって、論理は数学を記述するための文法のようなもので、数学は論理とは本質的に異なる感覚的な学問であると思う。数学者は定理を証明するときに主として数覚を用いていることを自覚しないから論理的に厳密に証明したと思うのであろう。もしも本当に証明が論理的に厳密ならば、それをそのまま文章の一つも入らない記号論理に書き直せる筈であるが、実際にはそれは余りにも冗長になってしまうので不可能なのである。

古来人間には視覚、聴覚、嗅覚、味覚、触覚の五つの感覚、すなわち五感があるとされてきた。それ以外に数覚があるというと変に思われるかも知れない。しかし一寸落着いて観察すれば人間には五感以外のいろいろな感覚があることがわかると思う。一例をあげれば方向に対する感覚がある。方向音痴という言葉が示すように、方向感覚の鋭さは人によって随分差があるようである。

数覚は数学者にも判然とは自覚されないが、それは人類の進化の過程において未だ未発達な感覚であるからであろう。人類最高の頭脳プラトン、キリスト、釈迦、等が二千年の昔に現われたことから見ても、人間の脳髄の構造は一万年前から殆ど変わっていないと考えられる。一万年前に洞穴に住んで石と棍棒で野獣と戦っていた人間にとっては、抽象的な現代数学を理解し得るような数覚はおよそ無用の長物であった。生物は自然淘汰によって進化するという進化論によれば、このような無用な感覚が発達した筈がない。人間の数覚が未発達なのは当然のことであって、現代の数学者程度の数覚をもった人間が存在することの方がむしろ不思議である。数学が苦手な人が少なくないのも、数学者になり得る鋭い数覚をもった人が極めて少ないことも当然の事である。

人間と電子計算機を比べると、数の計算においては人間は電子計算機の足下にも及ばないが、パターン認識では人間の方が電子計算機よりもはるかに上である。これも、一万年以上昔の人類にとって、パターン認識は致命的に重要であったが、三桁以上の数の計算は不要であったからであろう。ある種の渡り鳥は夜空の星を眺めてその飛ぶ方向を定めるという。人間ならばクロノメーターと六分儀と星座早見表によらなければ出来ないことを、渡り鳥は時間・空間に関する鋭い感覚によって一瞬に為し遂げるのである。種族保存のために必要とあらば、鳥の小さな脳髄でもこのような驚くべき進化を遂げるのだから人類の脳髄の進化の可能性には測り知れないものがあると思う。仮に今から百万年前に宇宙人が地球を占領して人間を奴隷にし、複雑な計算をさせるために人間の中から暗算の上手なものだけを選んで人工交配(ここの「人」はもちろん宇宙人の「人」である)を繰返したとすれば、人間の脳髄の能力は数の計算においてもすでに電子計算機を凌駕していたであろう。人間の脳髄を構成している神経細胞と神経繊維の数を考えれば、現在の電子計算機程度の簡単な回路は脳髄のほんの一部に収ってしまうと思う。

現代の数学の成果は数学者以外の人にはまず絶対に分からないし、数学者でも専門の違う数学者には殆ど分からない。同じ専門の数学者にとってもそれを理解するには相当の時間と労力を要する。これも人間の数覚が全く未発達なためであろう。

この辺の事情を説明するために次のような状況を想定して見よう。殆ど全部の人間が色盲で、極めて少数の人間だけが未発達な色彩感覚をもっているとする(猫は色盲であると言われるが、人間もその進化の過程がもう少し違っていたならば、このような事態もあり得たであろう)。そしてこの少数の人間が色彩画家とでも称する集団をつくって色彩のある絵をかくとしよう。この絵は勿論大部分の人間には分からないし、また色彩画家どうしの間でも、辛じて色を判別できる程度の色彩感覚しかもち合せていないから、よほど努力しなければ分からない。ここが赤らしいからこの隣りは論理的に考えて青ではなかろうか、というような調子になるであろう。

私はわれわれ数学者の現状はこのようなものであろうと思うのである。将来人類が進化して数覚が発達した暁には、現在われわれが苦心して証明している定理が数覚によって一目瞭然証明なしに分かるようになるのではなかろうか？

それでは果して人類の進化に伴って人間の数覚は発達するであろうか？　勿論人類が進

化しつつあるか、それとも滅亡に向っているのか分らない現在、こんな難問が分る筈はないのであるが、バーナード・ショウの『メトセラ時代に帰れ』に描かれている紀元三一九二〇年の世界を眺めると、数覚は発達するものらしく見える。この未来の世界では、赤ん坊は卵から生まれ(一寸進化が速過ぎるようだが)、生まれたとき既に体も知能も現代の人間の一八歳の程度で、満四歳で成人するまでの四年間、ダンス、音楽、絵画、彫刻、生命科学の実験、等をして遊ぶ。生命科学といっても、生きた人形(つまり現在のわれわれ程度の人間)を合成して遊ぶのだから相当なものである。そして満四歳になると男も女も完全に禿げて区別がつかなくなり、それから先は落雷等の事故で死ぬまで何百年でも数学を考えて暮らすのである。もっとも数学とはっきり断ってあるわけではないが、満四歳に近づいた女の子が「数の性質ってとても素晴しいのよ。あたしはとっても興味をもっているの。相も変わらないダンスや音楽から逃れてただ一人で坐って数について考えたいのよ(The properties of numbers are fascinating, just fascinating. I want to get away from our eternal dancing and music, and just sit down by myself and think about numbers.)」と言って遊び相手の二歳の男の子をがっかりさせる場面があるから、考える対象は数学に違いないと思う。そして、たまたま通り掛った老人が子供に向って「チビさん、私達が生きているすばらしい生の一瞬間でもそのエクスタシーはあんたを打ち殺す程すてきなものなんだよ(Infant: one moment of the ecstasy of life as we live it would strike you dead.)」と言っている所を見ると、数学を考えると言っても、われわれが苦心して考えるのとは違って、ちょうどわれわれが聴覚によって音楽を楽しむのと同様に、数覚によって数学を楽しむのであろうと思う。妄言多謝。

（『数理科学』一九七五年六月号）

数学の不思議

数学というものを一切の先入観を抜きにして素直に観察して見ると、数学は実に不思議な学問であるということになると思う。普通数学は厳密な論証によって展開される明晰判明な学問であるということになっている。それほど明晰判明な学問ならば誰にでも容易にわかるはずであろう。それがそうでないことは本誌(『数学セミナー』)の「ティー・タイム」の各界の第一線で活躍しておられる方々の数学に対する感想を拝見すれば明らかである。「ティー・タイム」に投稿されている方々はもちろん優秀な知性の持主であるが、その方々の多数は数学が嫌いでわからなかった、あるいはわからないから嫌いであったと言っておられる。数学が嫌いな方々にとっては、数学は曖昧模糊とした訳のわからない奇妙な学問であるということになるらしい。もしも「民主的」に投票で多数決で定めれば、数学は曖昧な訳のわからない学問であるという結論になるであろう。

数学は私のような数学者にとっても実にわかり難い。自分の専門分野の論文でもそれを明晰判明に理解するには多大の時間と労力を要する。自分の専門と全く関係のない分野の論文を明晰判明に理解することは大抵の場合ほとんど不可能である。たとえば『Scientific American』誌で自然科学のいろいろな分野の最近の成果の通俗解説を読めば大抵の場合一応わかったような気がする。数学の最近の成果の解説(数学の場合通俗解説は不可能であるから専門誌に発表された解説)を読もうとしても大抵の場合途中で霧がかかったようになって朦朧《もうろう》としてわからなくなってしまう。これほどわかり難い数学が明晰判明な学問であると思われているのは何故であろうか?

もちろん自分の専門分野の論文ならば懸命に読めば遂には明晰判明にわかったという気になる。少なくとも自分で書いた論文ならば明晰判明にわかっているはずである。このときの明晰判明にわかるというのはどういうことなのであろうか? われわれが自分の専門分野の一つの定理を理解しようとするとき、普通その証明の論証を一歩一歩追跡して行って証明の終りに到達したとき「わかった」と思うのであるが、これは証明の論証に誤りがないことを確かめたから定理がわかったのかというと、そうではないようである。なぜなら、自分の専門と全く無関係な分野の定理はその証明の論証に誤りがないことを一歩一歩確かめてもやっぱりわかったような気にならないからである。

どうも定理の証明というものは定理が正しいことを主張するための単なる論証ではなく、何かそれ以上の意味があるらしい。このことは逆に証明を丁寧に読まないと定理がわかったような気がしない所に表われていると思う。証明が、定理が正しいことを主張するための単なる論証ならば、古来有名な定理の証明はすでに多数の数学者が誤りがないことを確かめたのであるから、何もわれわれが改めて自分で確かめる必要はないはずである。それがどうしても自分で証明を丁寧に読んで論証を追跡して見ないと定理がわかった気がしないというのは、証明が単なる論証ではなく、論証以上の何物かが証明の背後に潜んでいるからであろう。数学を明晰判明に理解し得るか否かはこの何物かを把握し得るか否かに掛っているのではなかろうか？

数学を明晰判明に理解することが窮極においてこのよくわからない何物かを把握することであるとすれば、明晰判明に理解するということの意味もよくわからないことになる。だから数学は多数の人々にとって曖昧な訳のわからない学問に見えるのであろう。それにも拘らず数学は無謬で諸々の自然科学に不思議な程役に立つ。数学は実に不思議な学問であると思うのである。

（『数学セミナー』一九七六年一一月号）

発見の心理と平面幾何

以前或る本でアインシュタインはものを考えるときに言語を用いなかったという話を読んだことがある。先日この話がどの程度本当なのか気になったので、その本を出して見たら文献としてアダマール(J. Hadamard)の『数学における発見の心理』を引用している。早速アダマールの本を借りて見ると附録にアインシュタインがアダマール宛に書いた手紙が載っている。手紙はかなり長いが、その要点はおよそ次の通りである。「私の思考の機構において言語が何等かの役割を演じているとは思えない。思考の要素として働くものは自ら再生し結合する或るイメージである。このイメージの結合の戯れ——言語と記号による論理的構成以前の結合の戯れ——が創造的思考の本質的な特徴であると思う」。

ポアンカレが旅行中馬車に乗ろうとした瞬間にフックス関数に関する重要な発見をした話は有名である。彼は心理学協会における講演でこの一瞬に行われた発見について「長期間にわたって先行した無意識の働きの表われである」といっている。アダマールは上記の本でポアンカレの講演を中心として発見の心理を研究して、結論として、発見において主要な役割を演じるのは「無意識」であると述べている。「無意識」というと神秘的に聞えるかも知れないが、アダマールによれば、たとえばわれわれが人の顔を認識するのも「無意識」の働きであるという。

この「無意識」というのは何か？　最近の大脳の生理学の知見によれば、人間の大脳の左半球と右半球の働きは異なっていて左半球は分析的、右半球は総合的であるという(J. C. Eccles, *The Understanding of the Brain*, McGraw-Hill, 1973.)。言語、論理、計算等は左半球、音楽、パターン認識、幾何等は右半球、そして驚くべきことに自己意識と関連するのは左半球であって、右半球と自己意識は関連がないという。

そうとすればアダマールのいう「無意識」は右半球の働きであると考えればよく辻褄が合う。そして人の顔を認識するのは「無意識」の働きであるというアダマールの説はパターン認識が右半球の働きであるという知見と一致することになる。

大脳生理学の知見のこのような短絡的解釈が正しいかどうか疑問がないわけではないが、正しいとすれば昔われわれが中学校で学んだユークリッド平面幾何は数学の初等教育のための最適な教材であることになる。平面幾何では図形を見ながら論証を進める。図形を見るのは右半球の働き、論証は左半球の働きであるから、平面幾何は左右の両半球を互に関連させて同時に訓練することになる。殊に証明のための補助線を引くには図形全体のパターンを眺めて総合的に判断することが必要である。ゆえにそれは右半球のための最もよい訓練である。アダマールがいうように発見が「無意識」すなわち右半球の働きであるとすれば、したがって平面幾何は創造力を養うためにも最適な教材であることになる。

近年ユークリッド平面幾何は数学の初等教育からほとんど追放されてしまったが、それによって失われたものは普通に考えられているよりもはるかに大きいのではないかと思う。

（『数学セミナー』一九七九年三月号）

学術交流の周辺——数学の世界をめぐって

〈聞き手〉 伊東俊太郎

日本の数学はレベルが高い

伊東 一九七二年にプリンストンの高級研究所で先生にお会いしてから、三年になるわけですけれども、あのときもたしかプリンストン大学のスペンサー教授に招かれて、かの地で悠々自適の研究を楽しまれていたと思います。ことほどさように、先生は常に国際的な次元で、数学の第一線に立ち活躍されてきておられます。一時は「頭脳流出第一号」ということで、ずいぶんジャーナリズムなどで騒がれたりもいたしましたね。最初に外国に研究に出かけられたのはいつごろですか。

小平 一九四九年(昭和二四年)ですね。

伊東 それはどちらに……。

小平 プリンストンの高級研究所です。初めはヘルマン・ワイルによばれたんです。高級研究所に一年いまして、次にジョンズ・ホプキンス大学にヴィジティング・アソシエイト・プロフェサー(客員準教授)として一年行きました。それからまたプリンストンに帰って、高級研究所にいたり、大学にいたりで一九六一年まで過ごしましたね。その後、ハーバード大学へ一年、ジョンズ・ホプキンス大学に三年、スタンフォード大学に二年いて、それで日本に帰ってきました。全部で一八年になりますか。

伊東　そして一九五四年、アムステルダムの国際数学者会議で、数学のノーベル賞といわれるフィールズ賞を受賞されたのですが、そのときのご感想などうかがえるでしょうか。

小平　あれは、はっきりどの研究に対して与えるという賞ではないんですね。調和積分論とか、そろそろ複素多様体の研究を始めていましたので、それに関することなどでくれたのですかね。年齢制限があるんですよ。

伊東　それはおもしろいですね。

小平　四年ごとに開かれる国際数学者会議のときに優れた仕事をした若い人に、研究をエンカレッジする意味を込めて賞を出す。若いというのが条件なんです。どこまでが若いか、というのが問題なんですがね。いまのとこ、きっちり四〇歳ってことになっております。のばそうかという話もありましたけれど、いくらなんでも四〇を越えたら中年だろうということで……。

伊東　数学はやはり四〇歳くらいまでによい仕事がなされてしまうのでしょうかね。ところで、国際交流ということで考えますと、人文・社会科学の場合、海外で活躍しておられるかたも多いのですけれども、言語の面で自分の言いたいことが十分伝わらないといったような言葉のハンディキャップというのがどうしてもあると思うんです。その点、自然科学、とくに数学の場合は記号を書いてしまえば通じ合える、というようなことが利点になるのかどうか。そのへんはいかがでしょうか。

小平　いや、やはり非常に利点になっていますね。ぼくも初め一年間ぐらい、全然英語がわからなかったですよ。

伊東　それでも一向さしつかえないわけですね。

小平　さしつかえなかったのです。そのうち講義をするようになりましてね。そうすると、発音が悪いから英語が通じるかどうか自信がなくて、全部、文章まで黒板に書いてしまう。すると、かえってわかりやすいと学生は喜んでいましたよ。だから学生が、ぼくの講義を「聞きにいく」とは言わないで、「見にいく」といってました。そうしますと不思議なもので、ぼくについていた大学院の学生が真似をして、英語がちゃんと話せるんだから、書く必要はないのに全部黒板に書いてしまう。

伊東　それは愉快な現象ですね。先生の講義のスタイルがアメリカ人にうつってしまうんですね。そういう点、数学や自然科学は国際交流しやすいということはわかりますが、とくに数学は、ほかの自然科学、たとえば、これまた一時は世界をリードした理論物理に比べても、国際的な次元で、世界的な仕事をされているかたがたが非常に多い。高級研究所の例でも、数学の場合は三、四人、日本人の若い人がいつでも必ずいて、いい仕事をしていますね。理論物理はこのごろ隔年に一人ぐらいでちょっと淋しいようです。またアメリカの大学をみても、一流大学に日本人の教授がいて、それもしばしば看板教授であり、万丈の気をはいておられますね。たとえば、プリンストンの岩沢先生、志村さん。ハーバードの広中さん。ジョンズ・ホプキンスの井草さん。イリノイの竹内さん。エールの玉河さん。それぞれの大学で際立った活躍をされている。こういうふうにみましても、とくに数学の分野では、日本人が世界的にすぐれた研究をだし続けている。これはずいぶん前から始まって、今でも依然として続いている。どうして日本人はこう数学に強いのだろうという印象をもつのですが……。

小平　どういうわけですかねえ……。実験物理はお金がかかる、といいますね。しかし、理論物理であれば数学と同じことだと思うんですけれど。数学に向いているんでしょうか、よくわかりません。たしかに言葉の問題は、理論物理は数学とは違うようです。理論物理では議論して相手を説き伏せないとダメらしいです。数学のように証明ができたからこうだ、というわけにはいかないようですね。

伊東　日本の数学教育がいいということはありますか。

小平　いや、そうでもないと思います。レベルは高いですが、あれがいいか悪いかはわかりません。この点は不思議ですね。向こうはずいぶんレベルが低い。日本もぼくが子ど

も の頃はレベルが低かった。

伊東　しかし、アメリカではあとになってスーッと才能を伸ばしてくる人がいますね。

小平　そうなんです。大学に入って急によくなる人がいます。

伊東　そして日本人のスクール秀才を追い抜いてしまうということがあるわけですが、日本人は最初からレベルの高いのをいろいろつめこむようだけれども、その点問題があるかもしれませんね。

数学は感覚的な学問である

伊東　ちょっと話は変わりますが、先生は最近、東大理学部の『広報』に「一数学者の妄想」(二〇ページ)という題で、たいへんおもしろいエッセイをお書きになりましたね。そこでは、数学とはどういうものであるかということについて、先生ご自身の体験からでた興味深い見解を述べておられます。そこで「数学は森羅万象の根底をなしている」ということをおっしゃっている。物理現象の根底には数学的現象というのがあって、数学者はその数学的現象をいわば「数覚」とでもいうべき感覚で「見てとる」のだ、だから、数学は論理的な学問というよりむしろ、感覚的な学問である、という通説とは異なった、先生ならではのご意見をお書きになっておられますが、このへんのところをもう少しお聞かせいただければと思います。

小平　数学的実在というものがあるんだと思うのです。

伊東　その数学的実在というのはどのようなものなんでしょうか。

小平　物理的実在だって、われわれがさわってみることができるような気がしているけれども、よく考えてみると、根本的にはわからないわけですよ。エレクトロン、プロトンだってさわってみるわけにはいかないし、さらにあやしげな素粒子になると、寿命が何百万分の一秒とか、何億ドルもかけてつくった大きな加速器を使わないと、存在するかしないか、わからない。そういう意味では、物理的実在のほうが数学的なものよりもはっきりした実在であるという考え方が、すでにおかしいと思うんです。なにか数学的実在というものが根本にあって、そのうえにあらゆる自然現象が乗っかっているのだろうと考えているんですけれども。そういうものを見る感覚というのがあると思うんです。普通は五感しかないといっているけれども。

伊東　私などはその五感しかないらしくて、物理的実在ほどには数学的実在が「見えて」こないのですが、先生の言われる「数覚」というものは一部の人にあって、それが非常に鋭い人が数学者ということになるわけでしょうか。

小平　いや、だれにでもあるのですが、その中に鋭い人とそうでない人とあるんでしょうね。渡り鳥がいますね。一説によると、渡り鳥は夜、星座を見て飛ぶというんです。時間、空間に対する相当鋭い感覚がなければ、星座を見て方向を決めることは不可能でしょう。時間によって、日によって、また場所によって星座の模様はかわりますからね。こういう妙な感覚が進化の上に必要とあらば、発達してくるのではないかと思うのです。

たとえば、パターン認識というのがありますね。人間であれば、三つか四つの子どもでも非常に鋭いパターン認識の感覚をもっています。しかし、普通の計算機ではそれができない。パターン認識をやろうとすれば、たいへん大きな計算機がいるわけでしょう。そういうものが、ちゃんと人間の頭の中には入っています。しかし、小さな計算機でできる数の計算が、人間にはできない。ごく簡単な回路なのに。もし、進化の上で百万年の昔から必要だったら、計算機にできることが人間にできないはずがないと思うんですよ。

伊東　プリンストン高級研究所で、先生もご存知のヴェイユ先生とお話する機会をもったことがありますが、ヴェイユ先生も数学的実在を直感で「見る」というような言い方をされていました。それは先生がおっしゃっていることとまったく符合するので、おそらく創造的に数学をつくりあげる人は、無矛盾な形式的な公理を設けてそれから論理的な演繹をやるというのではなくて、何か確かな直感があって、それに導かれて研究を進めてゆくのでしょうね。その直感というのは、経験的な意味の感覚ではありませんね。

小平　パターンを見るというのは単なる視覚ではないでしょうね。たとえば、囲碁。あれは要するにパターン認識でしょう。考えることは考えるけれども、考えるだけでは碁の専門家にはとうていなれません。計算機でやらしてもダメだそうです。碁も初めから専門家になれるかどうかわかるそうですね。碁打ちになりたいと思って、碁の好きなのが専門家のところへ行って打ってもらう。すると一ぺんで、おまえはどのくらいまでいける、この程度ならやめた方がいいとか、すぐわかる。

伊東　それも一種の「碁覚」という感覚でしょうね。

小平　だから、大学の修士課程の入試なんかも口頭試問がいいですよ。非常によくわかりますね。筆記試験がよくできても、しゃべらせてみるとあやしげなのがいたり。

伊東　それはおもしろいですね。数学でもそうですか。

小平　普通の考えによると、数学は公理から出発して、論理的に導いていくわけですね。全部、記号を使って書く。記号には意味がない。そういいますね。もし本当にそうだとすると、どちらの方に進むかを選択する理由は何もないわけでしょう。そうすると、あらゆることを導き出さなければいけない。ですから、平面幾何でも、普通は公理から出発して、まず三角形の内角の和は二直角に等しいというようなことをやりますね。なぜ、そういうことを考えるのか、というのは公理からは出てこない。やはり、それは感覚的な……。

伊東　論理的に一つの演繹があって、それにただ従っているだけではないですね。

小平　ええ。論理だけではどっちの方向に向って論理を進めるかということは出てこないわけでしょう。

伊東　方向を見ているんですね。

小平 見てる。

伊東 そうしますと、数学的に有意味な問題を発見するということは、ちょうどコロンブスがアメリカを発見したときに、一種の「実在」の予感により、その直感に方向づけられて旅立ったように、数学者も「数覚」に導かれて新しい研究を開拓していくということですね。

小平 そうだと思います。

伊東 もう一つお聞きしたいのは、数学がなぜ自然科学の役に立つのかという問題ですね。先生も書いておられますが、たとえばリーマン幾何学がアインシュタインの相対論を予言したように、自然科学の後追いではなく、数学の研究のほうが先立って出てきて、自然解析の有力な武器になるということですね。われわれは一般に、まず物理現象というのがしっかりした構造としてあって、それを数学的構造がいわば模写するというふうに考えがちですが、そうしますと、どうして先にできた数学がそんなにうまく模写できるのか、という疑問も出てきます。先生のお考えでは、物理的実在のほうが数学的実在よりも必ずしもしっかりしたものだとはいえなくて、たとえば、量子力学というような場面では、数学によって物理的実在の意味が与えられるというようなことがしばしばある。むしろ数学が物理的実在を深いところで規定し、それに意味を与えているというように考えてもよろしいんでしょうか。

小平　そんなような気がするんですよ。どうもそう考えないとうまく説明できないと思うんです。一番不思議なのは、式で計算して、はじめは式の上だけだと思っていることが、だんだん時間がたつとそのうちに見つかってくるでしょう。

最近ですと、ブラック・ホールというのがありますね。あれはアインシュタインの一般相対論の方程式の数学的な解に現われるだけで、まさか本当のこととは思わなかったのですが、どうもあるらしいというんですね。どこか遠方の二重星で片一方は光っているそうですよ。相手はブラック・ホールだから全然見えないわけですね。しかし、二重星だから質量等は計算できるらしい。で、一方からガスが出て、他方に吸い込まれる。吸い込まれる直前にX線を出すんだそうです。それを人工衛星などで観測できるようになった。観測してみると、ブラック・ホールらしいということですね。

どうも数学的現象が全部の背後にあるような気がする。

伊東　非常におもしろいですね。ところで、数学的実在なり、現象を「見る」とおっしゃられるとき、その見られるものは一体なんなのか。数学者が創造しているときには確かに何かを見ていると思うのですが、それは何を見ているんでしょうか。単なる感覚の対象でなく、もっと知的な……。

小平　その点は物理でも同じではないかと思うんです。とくに奇妙な素粒子というようなものは、何を見ているかやはりわからないわけでしょう。理論と入りまじった全部を系統的に解釈するために、素粒子があるだろうと想像しているわけですね。あれは決して直接さわるわけにもいかないし、見るわけにもいかない。

伊東　数学的宇宙のようなものがあって、そこのある局面を見つめながら、数学者は創造の行為をしておられる……。

小平　われわれが、数学で新しい定理を見つけますね。そういう場合、必ず「発見した」と考えるわけです。「発明した」とは考えない。

伊東　すでに存在していたものを見出したわけですね。

小平　ええ、前からあったものを見つけた、という感じがするんですね。うまく説明できないけど。もう少しまじめに勉強すればよいのでしょうが、ぼくのは単なる「妄想」ですからね。

日本とアメリカを比較する

伊東　このへんで趣味のことなどおうかがいできたらと思うのですが、漏れ承るところでは、ピアノがたいへんお上手で、奥さんがバイオリンをお弾きになって、音楽のご一家だということですけれども……。

小平　上手ではないけれども弾くことは弾きます。

伊東　しかし、数学者と音楽というのはピタゴラス以来、何か結びつくところがあるんじゃありませんか。

小平　文科系の人よりも好きな人は多いみたいですね。でも専門家になれるほどの人はほとんどいないのではないですか。向うでは、音楽家になろうと思ったけど、やめて数学者になったという人に何人か会いました。中には、本職は作曲家なんだけれども、作曲では暮らせないから数学の先生をしている、なんて人もいましたね。

伊東　先生は数学以外でもたいへん求知心に富んでおられ、『タイム』とか『ニューズウィーク』とかよく読んでおられて、アメリカでおもしろいことをたくさん聞かせてもらったという人の話を聞いたことがありますけれども。

小平　あれは日本の週刊誌と違って、おもしろい実のある話が書いてあるんですよ。自然科学の話も出ているし。いつか、おかしな話が書いてありましたよ。「ブタにお酒を飲ませる実験」というものでした。

伊東　ほーお、それはどういう実験なんですか。

小平　ブタでも一〇匹ぐらいいっしょに飼っていると、ちゃんとランクがつくそうですね。それで夜、小屋に入って寝るわけですが、一番えらいのが一番奥の暖かいところに入る。一番ビリのは、足が外に出て寒いのをがまんしながら寝ている。ブタはお酒が好きなんだそうですよ。あるとき、なんとかいうカクテルを飲ませたら、ボスがうんと飲んで、ものすごく酔っぱらいましてね。ランクが落っこっちゃったそうです。三番目くらいに。

酔いがさめたら、またボスに戻りましたがね。それで懲りちゃって、二度目からはちゃんと気を付けてそんなには飲まないんです。一番よく飲むのは下から二番目なんだそうです。フラストレーションというか、一番ゆううつらしいんです。一番下のやつは、もうあきらめて悟っているからあまり飲まない。なるほど、ブタでもそういうものかと感心しました。そういう面白い話がいっぱい載っているんです。

伊東　おもしろいですね。ところで、一八年間外国で大いに活躍され、世界の数学界の発展に貢献されてこられ、七年前帰国されて、今度は日本で後進を育てられたわけですけれど、いかがでしょう、外国と日本を比較してどんな感想をおもちになりますか。

小平　ずいぶん違いますね。向うだと講義時間は多いです。大体週六時間はやらされますね。それも、日本だと一〇分ぐらい遅れていってということがありますけれど、絶対そういうことはしないですね。きちんと出て、六時間やって、休みも少ないですね。その点は日本は楽ですね。せいぜい一週二時間ぐらいですね。それから、かってに休む。学会だから、といって休講になる。ああいうことは絶対にないですね。けれども、向うでは講義だけやっていればいい。雑用はほとんどない。

それはなぜか、と考えてみたのですけれども、要するに他人に相談しないで、めいめいが、責任をもって物事を決めてしまう。たとえば、教室主任が非常に権限をもっていましてね。教官の月給まで決めてしまう。ジョンズ・ホプキンス大学に三年いましたが、教授が全員集まって、あらたまって相談するというのは、年に三、四回。準教授の人事ぐらいになると、相談をしますけれど、そうでなければ、たいてい主任が決めます。それで主任は忙しいかというと、かえってひまなんです。日本で忙しいのは会議をやるからでしょう。全部、自分で決められればね……。

伊東　小さなことでもみんなが出てこなければ、決められない。だから、雑用が多くなりますね。

小平　委員会でも、向うだと、全権をまかしてしまう。たとえば、学位論文審査委員会。五人の委員で学生をよんで口頭試問はていねいに行います。二時間か三時間ぐらい。口頭試問がすむと、学生に室外で待っていてもらって、相談して即決する。それから、すぐ学生をよび、博士になれたとか、なれなかったとか言い渡します。

日本ですと、口頭試問がすんでから、その結果を理学系委員会であらためて説明し、そこで投票して決めるわけです。しかし、この投票で否決された例は未だ一つもない。よけいな用事をふやしているのではないかと思いますね。

交流を阻む制度の問題

伊東　こちらへお帰りになってから、理学部長をされたり、大学紛争もありましたし、いろいろたいへんだったでしょうね。アメリカでは悠々自適の研究だけされていればよかったんでしょうけれども。そういう点と、もう一つ経済的な面で、アメリカがはるかによく、日本が劣っている、これが学者流出の原因だ、ともいわれていますが、そういう点はどうでしょうか。

小平　そういうことはあったでしょうね。向うにいれば、月給だけでほかに何もなくても全然心配しないで暮らせた。日本だったら、アルバイトをしなくてはいけない。しかし最近は、日本もずいぶんよくなりましたね。

伊東　先生が世界的な活躍をされてきたことは、われわれ日本人としては誇るべきことですが、同時に、帰国されて日本の後進を育てられたということ、これも重要な意味をもったのではないかと思います。たとえば、小平先生のところから非常に優秀なお弟子さんたちが出てきて、一昨年の多様体論の国際会議のとき、たいへん活躍されたということを聞いております。これは日本へお帰りになってよかった面ですね。

小平　ええ、その点はよかったと思いますね。式だけだというけれども、日本語のほうが話が通じますしね。それから、本郷の学生はよくできますね。これだけは日本特有の現象ではないですか。

向うですと、一流校というのがたくさんあるでしょう。ハーバード、プリンストン、スタンフォード、バークレイ等。そういうところへばらまかれて、学生の質は大学によってそんなに差がありません。日本ではどういうわけか、東大に集まってしまう。

伊東　そうしますと、やはり育てがいがあったわけですね。

小平　ええ、ぼくとしては楽しかったです。日本全体として見たら、東大ばかりに集まるのはまずいでしょうが。

伊東　そうですね。もう少しちらばっていればいいと思うけれども。

小平　そこのところは、また向うは考え方が違いますね。学部を卒業しますと、大体、よその大学の大学院へ行ってしまいます。で、今度大学院を出ると、就職するときは、また違う大学に行きますね。

伊東　それはいいことだと思います。といいますのは、場所を変えると「突然変異」が起こるので、環境が違い、刺激するものが違ってくると、新しいアイデアが出たり、いろいろな意味で、自己変革の機会に恵まれるように思いますので。同じところに長くいるというのはいいかどうか問題がありますね。日本の中でも、一カ所に固定しているのがいいかどうか問題ですが、国際的な場面でも同じで、大いに海外に出て、先生のように国際的な場面で立派な研究をされて、世界の学術文化のために貢献するということもできれば、たいへん望ましいわけですが、と同時に、みんな向うへ行きっぱなしになってしまうというのも残念な話で、帰ってきて日本の後進を育てるということもあってほしいですね。

小平　帰りたい人がかなりいるのではないかと思いますね。どうも日本の制度が非常に具合悪くできているでしょう。つまり、日本の制度は同じところに長く勤めるほうが有利ですね。退職金も多いし、恩給もたくさんつくというように。それも勤続年数の三乗か四乗に比例してふえる。しばらく間をあけると、ひどく減ってしまうのですね。だから、帰りたくても帰れない。年金はあぶないし、退職金も少ない、というのではね。そのうえに住宅が高いでしょう。そういう問題をうまく解決すれば、相当多数の人が帰ってくるのではないかと思いますがね。

伊東　制度的な面で、交流を助成するような方向に変えていく必要がありますね。

小平　ありますね。社会全体の習慣が、職場を変えないほうがいいという……。

伊東　流動性が乏しい社会ですからね。国際的にもついつい孤立してしまうところが出てくるわけですね。

小平　日本の中でも、私立大学と官立大学の間を交流すれば損になるでしょう。私立に勤めた期間は官立に勤めた期間と同じには数えない。だから、一〇年ぐらい私立にいて官立に移りますね。そうすると、同年輩の人より月給は少ないらしい。年金なんかにも影響しますしね。重大な問題ではないかもしれないけれども、交流するたびに損するしかけになっているんですよ。

伊東　そういう点はたしかに考えなければならないですね。

日本にも開かれた学問の「場」を

小平　それから、ぼくが気になっているのは、これまでの交流はなんとなく一方通行という感じがしますね。こちらから向うへは、向うの人がお金を出してずいぶんよばれていきますね。こちらでよぼうと思うと、お金がないんです。数学の場合でも、われわれが研究費をもらいますね。非常に制限がきつくて、外国から人をよぶなんてことには絶対使えないようになっているんです。向うでは、NSFから研究費をもらうけれど、あれは自由に使えるわけでしょう。

伊東　それはありますね。わたしもアメリカに二度ばかり滞在したが、両方とも向うのお金でした。Ph・Dの学位を取ったのちも、アメリカのNSFのお金で研究に必要なヨーロッパ、中東旅行をさせてくれました。学者の研究に対して、国籍の差別なしにやっているわけです。本当に開かれた、世界的な場で研究の援助をしているわけですね。

小平　数学の場合、研究費といっても、交流に一番使いたいわけです。ほかには何にも要らないんです。

伊東　そうですね。すぐれた学者が向うから来て、いろいろなインパクトを受ける。こちらからも向うに対していろいろなものを与える――そういう交流が一番必要ですね。

小平　そのとおりです。そういう一番使いたいところへ使ってはいけないというへんな規則はどこで決まったのですかね。なんとかしたいものだと思います。

伊東　最近は外国の日本研究者に対してはずいぶん優遇するようになったようですね。

それでだいぶ日本へ来れるようになりました。しかし日本を研究しなくてもいいのではないですかね。学問というのは世界のものです。国籍を離れて、純粋数学でも理論物理でも、なんでもいいと思うんです。われわれだってアメリカで、アメリカ研究は全然やらなかったんですからね。

小平　そうなんですよ。プリンストンの高級研究所のような、ああいう研究所がほしいですね。あるおばあさんが基金を寄付したんだそうですよ。それをもとにして研究所をつくりまして、初めは数学と歴史を研究しようと。

伊東　アメリカでヨーロッパの学術の最高水準に早く追いつこうとして——昔、アメリカの大学を出ると、みんなヨーロッパに研究に行きましたね。それではいけないということで、アメリカの中で研究ができる体制をつくろうということでつくったんでしたね。

小平　それで、本当に一流の人をよんだわけです。ものすごい高給を出したらしい。アインシュタイン、ワイル、ジーゲル、そのころの超一流の人を集めたんですよ。そういう人を集めて、全然義務なしなんです。研究だけ。そういう教授がいて、あと若い人を世界中からよぶわけです。ぼくが行ったころは全部で百人程度でしたかね。世界中からよんで、全然義務なしで勉強させるわけですよ。普通、二年でしたね。結局世界の数学の中心のようになり、ずいぶん数学の進歩に貢献しましたね。

伊東　楽しかったのは一〇時と三時のお茶の時間です。いろいろな分野の人が集まって、勝手に話し合うわけです。そこで、若いメンバー同士で話したり、数学のヴェィユ先生や社会学者のリースマンなどといった偉い先生たちと話したり。それがまったく楽しかったですね。自由なフリートーキングで、どうこうしようというものではない。それから何かをつくり出そうとか、これだけやったから、これだけとろう、といったようなそういうものが全然ない。無償の学問研究の場というものが実は貴重だということですね。そして、事実そのことによって、あの研究所は世界の第一級の数学や理論物理の業績を生みだした。歴史研究でも同じです。これは教訓的だと思います。目先の利益にすぐはね返ってくることばかり考えていては本当の学問の進歩はないですね。

小平　そうですね。そのうえ宿舎までついているんですよ。宿舎には食器でも寝具でもすべてある。到着して二、三日は暮らせるように、食料まで買って冷蔵庫に入れてあるんです。何もわからなくて行って、ちゃんとやれるようになっている。ああいうものを日本につくりたいと思いますね。たいしてお金はかからないと思いますよ。

伊東　つくりたいですね。すぐ何か役に立つ、というようなことを抜きにしたああした学問研究の自由な場所を日本でつくれたら、それこそ、日本がはじめて世界に伍せる地盤ができたといえるのではないかと思います。

（『国際交流』一九七五年五月、第五号）

科学・技術と人類の進歩

一九七五年一〇月三〇―三一日に開催された通産省主催のシンポジウム「産業と社会」における講演

私は数学以外のことは何にも知らない単純な数学者でありまして、人類の進歩というような大問題について議論する資格があるとは思えないのでありますが、七月の末に通産省の宮本審議官がお見えになって、このシンポジウムで科学・技術と人類の進歩についてリポートをしてほしいといわれまして、私は大分躊躇《ちゅうちょ》したのでありますが、是非引受けてほしいといわれる、それには何か訳があるのであろう、多分数学者のような単純な人間の目に人類の進歩がどううつっているか、それを聞いて議論の材料にしようというお考えであろうと想像しましてお引受けした次第であります。

最近における科学・技術の進歩が実に目覚しいものであることは周知でありますが、周知であると言いながらわれわれは普段それを忘れています。まずそれを想起するために、有名なピアニストのシュナーベル(Schnabel)がシカゴ大学で行った講演の中で列挙している彼が子供の頃――一八九〇年頃――に無かったもの、また始まったばかりのものを少し引用しますと

電気――極めて稀　　X線――無し
電話――極めて稀　　自動車――無し
エレベーター――殆ど無し　　ラジオ――無し
冷蔵庫――予測されず　　タイプライター――無し
安全かみそり――無し　　映画、新聞の写真――無し
アルミニウム――無し　　飛行機、潜水艦――無し

この表には医学関係のことが載っていませんが、この方面の進歩は私が子供であった頃からでも実に素晴しいものでありまして、その頃――今から四〇―五〇年前には生まれた赤ん坊の一割――正確な統計は知りませんが、多分一割は四歳未満で死んだのだと思います。青年期になりますと結核でまた一割位は死んだ――これも正確な数字は知りませんが私の親戚、友人の間では一割以上死にました。近頃はこのようなことは一切なくなって、日本人の平均寿命がかつては古稀と言われた七〇歳を越えました。

このようにわれわれは科学・技術の大きな恩恵の下で暮らしております。勿論、科学・技術が未発達であった一八九〇年代の人間よりも現在のわれわれの方が幸福であるかどう

かはわかりませんが、しかし、現在われわれが享受している科学・技術が一夜にして消滅したら、われわれは大変不幸になることは明らかであります。それにも拘らず、最近いろいろ科学・技術に対する批判が聞かれる――勿論、批判すべきことは当然批判しなければなりませんが、科学・技術の恩恵の方は一切無視して、ただ科学・技術が悪者であるというような感情的な批判が聞かれます。こういう批判を聞いていますと、どうも人類は自分の創った科学・技術的な環境に適応し切れない生物ではないかという疑問が出て参ります。

進化論によりますと、生物は自然淘汰によって進化するということになっています。進化をすべて自然淘汰で説明し切れるかどうか疑問な点がないでもないのですが、大綱において進化は自然淘汰によると考えられます。人類は異常に進化が速かった生物だそうでありますが、それでも進化を計る単位は一万年のオーダーであろうと思われます。五〇〇〇年昔のクレタ島の文明、また人類最高の頭脳プラトン、孔子、等が二〇〇〇年以上の昔に現われたことを見ても、個々の生物としての人間は凡そ一万年前から余り進化していないのではないかと考えられます。そうしますと、個々の生物としての人間は、一万年の昔洞窟に住んで石と棍棒で野獣と戦っていたというような環境に最も適応しているということになります。

そう思って見ますと、人間は理性的動物であると言われていますが、理性的動物であるのは自己の利害に直接関係のない状況にある場合、例えば、科学・技術の研究というような場合に限るのであって、直接の利害関係が増すに従って本能的動物に変貌していくのではないか、という心配が出てきます。いつだったか有名な数学者のZ教授が冗談半分に「人間は決断をするときには胃袋を用い、その決断を正当化するための理屈を考え出すために頭を使うのだろう」と言われたのを覚えていますが、確かにそういうところが見えます。理性的動物であるならば当然理性的判断に基づいて決断を下すはずですが、直接の利害関係が絡んでくるとまず本能の命ずるところに従って決断をしてそれを正当化するための理由を考え出すために理性を使う傾きがあります。

この本能の主要なものは人を支配したい、つまりボスになりたいという本能、それから領土欲ではないかと思います。この二つの本能は、周知のように或程度高等な動物の根源的な本能でありまして、千万年の昔からあるこういう根源的な本能は進化した人間もその支配から逃れることが出来ないようです。不思議なことに、こういう本能は多数の人間が集団をつくるとはっきり現われて来る、殊に国家間の対立の様子を見ると、国家というものは全く本能に支配されているとしか考えられません。核爆弾のような危険なものはお互いに相談して廃棄すべきであることは誰の目にも明らかですが、この明らかなことがどうしても出来ない、理性の片鱗でもあれば出来る筈《はず》のことが絶対に出来ないのは何故かといえば、結局国家というものはお互いの対立に関する限り本能に支配されているからだと考える他ないと思います。

われわれ普通の人間は理性的であると自惚《うぬぼ》れていますから、大国が核爆弾を抱えて対立している様子を眺めて実に馬鹿げていると呆れるのでありますが、落着いて観察して見るとわれわれも結局国家と同じ様に本能に支配されて生きているように思われます。まずボスになりたいという本能が強く働いてわれわれを動かしています。このことについて、差し障りがないようにここに出席しておられる方とは縁の無さそうなオーケストラの指揮者の話をピアティゴルスキー(Piatigorsky)の自伝から引用します。指揮者というのは絶対の権限をもった今の世の中では珍しい地位であります。昔はオーケストラのメンバーの罷免権までもっていたそうでありますが、現在でも演奏に関する限り絶対の権限をもつ完全なボスであります。ピアティゴルスキーによりますと、オーケストラの一員が昇格して指揮者になることがある、そうしますとそれまではそれ程音楽が好きでもなく、自分のパートを記憶するのさえおぼつかなかった人が、急に音楽が大好きになって記憶力もよくなり忽ちオーケストラの総譜を覚えてしまう、健康まで見違えるようによくなるということであります。ボスになりたいという本能が如何に根源的なものであるかがわかります。

次に領土欲について、世界には狭い領土に大勢の人間が住んでいる国、広い領土に少数の人間が住んでいる国等、いろいろな国がありますが、広い領土をもつ国の元首が「私の国はこんなに広くて隅の方は空いています。貴方の国は狭くてお困りのようだからこの隅の空いている所をお譲りしましょう」というような理性的な発言をしたという話は聞いたことがない、それどころかそのような発言の可能性を考えることさえ噴飯ものである。現在世界の各国の態度は「寸土も譲らず」ということになっています。われわれは各国がもう少し理性的に寛容になったら世界は余程平和になると考えるわけですが、しかしそれはわれわれに直接の利害関係がない問題であるからであって、例えば最も理性的であるはずのわれわれ大学教授が大学のキャンパス内の領土問題になりますと忽ち理性を失って寸土も譲らずという態度になります。東京大学の本郷キャンパスには一〇学部が住んでいますが、各学部の領土が定まっています。国家の場合には国境がはっきり定まっていますが、本郷キャンパスには学部の境界などというものはない、原則として学部の領土というものは無いことになっています。それにも拘らず現実には各学部の領土がきちんと定まっておりまして、狭い領土に押し込められている学部が広大な領土を占めている学部にその一隅を譲って下さいと申し入れても並大抵のことでは譲って貰えません。勿論、会議ではいろいろ尤もらしい議論が出ますが、寸土も譲らずという決断は胃袋が定めていて、頭はその決断を支持する理屈をひねり出しているだけですから、いくら議論して頭の方を説得しても埒《らち》があきません。明らかに大学教授の理性といえども領土欲という本能を押えることはできないことを示しています。

　更に人間には本能が理性の仮面を被って現われるという現象があるように思われます。ある一つの観念に取り憑かれて事実を見ることが出来なくなることがありますが、このときの観念は理性の仮面を被った本能ではないでしょうか？　例えば、日本では数学教育に関して「数学は誰にでもわかるはずである。数学の嫌いな子供がいるのは先生の教え方が悪いからである」と主張する学者が少なくありません。これは「すべての人間は平等である」という原則を「すべての人間は何事に対しても生まれつき平等な能力をもつ」と拡大解釈した結果と思われますが、これは明らかに事実に反します。『数学セミナー』という雑誌に「ティー・タイム」という欄があって、そこに毎号日本の各界の名士が数学に対する感想を書いておられますが、それを拝見しますと一〇人中九人までは数学がわからなくて大嫌いだったと言っておられます。この明白な事実を前にしても、数学は誰にでもわかるはずだと主張する学者達は、それは先生の教え方が悪かったから数学が嫌いになったのだと解釈します。人間には背の高い人もいれば低い人もいるというように体の構造にさえ個人差があるのですから脳髄のような複雑な器官の構造に個人差がないはずがないのでありますが、この明白な事実を無視して数学は誰にでもわかるはずだという観念に取り憑かれているのは理性の仮面を被った本能の仕業であるとしか考えられません。

このようないろいろな現象を見ますと、人間の理性というものは甚だ頼りないもので、本能を押えることが出来ない、それどころか理性の方が本能に奉仕する召使いである。結局人類は一万年以上昔の環境に適応した生物であって、現代の科学・技術的環境に適応し切れないのではないかと思われます。しかも最近、人間の理性的な面よりも本能的・感情的な面が強調される傾きが見えます。こういうところに科学・技術に対する感情的批判の原因があるのではないでしょうか？

更にこれに拍車をかけているのがマスコミであると思われます。マスコミが発達していろいろなニュースを提供してくれる、それは有難いのですが、少し発達し過ぎたのではないか、マスコミの本来の役割はニュースを広く伝えること、端的にいえば、ラウドスピーカーの役目をすることであります。一人の肉声では大勢に聞えないから、マイク・アンプ・スピーカーを通して、声を拡大して大勢に聞かせます。ところがアンプのボリュームを上げて行きますと、スピーカーの音がマイクに入ってそれがまた拡大されてスピーカーから出て再びマイクに入るということを繰返して、マイクに向ってしゃべっている人の声とは無関係なピーという大きな音が発生する、オーディオの方でハウリングという現象が起こります。ハウリングが起こらなくてもそれに近い状態になるとスピーカーの音が濁ってきます。最近のマスコミは発達し過ぎて、つまりアンプのボリュームを上げ過ぎてハウリングに近い状態になっているのではないか。

例えば新聞が世論調査をしますが、私がいつも気になるのは、その世論というのがもともと新聞が作ったものではないかという点であります。

われわれ普通の人間が自分の意見を形成する素材はマスコミが提供する情報以外には何もない、しかもマスコミは強盗、殺人等、主として悪い事件を報道します。善い事件はあまりニュースになりません。科学・技術についてもその欠陥だけが大きく報道されます。マスコミ自身が通信技術、その他諸々の技術のおかげで成り立っているのですが、マスコミはそういうことについては何もいいません。これはマスコミが悪いわけではない、何故か人間には悪い事件のニュースには興味を示すけれども善い事件にはあまり興味を示さないという不思議な性質があります。

このためにマスコミは悪い事件を大きく報道する、そうしておいて「この世の中をどう思うか」という世論調査をすれば当然「この世の中は悪い」という返事が返ってきます。これはすなわちハウリングという現象に他ならない。この現象のために現在の世の中は言論の自由があるようでない、不思議な状況になっています。

例えば大気汚染の問題にしても、現在毎年平均寿命が延びているところを見れば大気汚染など大したことはない、という発言があってもよさそうなものですが、そういう発言は絶対に許されない、つまりそういうことがいえる言論の自由はないわけであります。念のため申し上げますが、私自身は大気汚染のため喘息を起こして苦しんでいるのでありまして、大気汚染など大したことないというのは私の意見ではありません。またマスコミを批難しているわけではない、ハウリングという物理的現象がマスコミに起こっているのではないかという懸念を表明しているだけであります。

このように人類は個々の生物としては一万年前の昔から不変であって、現在の科学・技術的環境に適応し切れないのではないかと考えざるを得ないのでありますが、皮肉なことに、その人類がもっとも上手なのが科学・技術でありまして、もっとも下手なのは、多分、政治であろうと思います。

利害関係が対立する人間の集団の本能をうまく操らなければならない政治が難しいのは当然でありますが、人類が科学・技術に優れているのは何故か、技術の方は石器時代から必要であった道具をつくる技術が進歩したと考えることもできますが、純粋な科学、特に素粒子論、抽象的な現代数学、等を理解し研究する能力は一万年の昔には全く無用であったはずであります。

人間がこの無用な能力を具えているのは何故か、進化論では説明し難いように思われますが、聞くところによりますと、或る程度高等な動物は生きて行くためには全く不要な過剰な能力を具えているものだそうであります。生きるために不要な過剰な能力というのは、例えば鸚鵡《おうむ》の人の声を真似る能力のようなもののことと思われます。人間の純粋科学を理解し研究する能力もこのような過剰能力と考えれば、一万年の昔に全く無用であった能力を具えていても不思議ではないことになります。生きて行くために必要な能力は自然淘汰によって統制された筈ですから余り個人差はない、しかし生きるために不要な過剰能力には自然淘汰は働きませんから過剰な能力程個人差が大きい、特にもっとも不要で過剰な抽象数学を理解する能力にはもっとも個人差が大きいはずであります。

そう考えますと抽象数学が嫌いな人が多いのは当然であります。もともと生きて行くのに不要な能力ですから、そういう不要な能力に優れていないのが正常な人間ではないか、私のように生れつき数学が好きで数学以外のことは何にも出来ないというのは人間としては少し、いや大分おかしいのではないかと思います。

現代の技術は自然科学に基づいていますが、その自然科学を発展させている人間の能力は個々の生物としての人間が生きて行くには不要な過剰な能力である、自然科学の基礎をなす数学の能力はもっとも不要で過剰な能力である。そのために自然科学・数学に対しては人間の理性が本能に妨げられずにもっとも有効に働く、その結果として科学・技術が驚異的な発展を遂げたのだと思います。

このセッションに与えられた問題は「科学・技術と人類の進歩」でありますが、今後人類が進歩するとすればどういう形で進歩するかを考えてみますと、まず個々の生物としての人類の進化は、進化するとしても一万年を単位とする遅々たる変化でありますから、ここ数百年の進歩に対しては問題になりません。その上人類に対しては自然淘汰はもう働きません。自然淘汰というのは要するに生存競争に負けたものは死んでしまえ、という非人道的なことですから、人類が地球を支配している限り、人類には適用されません。生物が自然淘汰によって進化するものならば、従って、個々の生物としての人類は今後は進化しないことになります。そうしますと人類が進歩するには、一つの世代の人類の成果を基礎として次の世代の人類がその上に新しい成果を積み上げて行く累積によって進歩する他ないことになります。科学・技術が累積によって発展して来たことは周知でありますが、科学・技術以外のことには累積があまり有効でないように見えます。

例えば音楽について見ますと、現在でももっとも頻繁に演奏されるのはバッハ、モーツァルト、ベートーヴェンの作品でありまして、レコードのカタログを見てもこの三人の作品のレコードが圧倒的に多い、明らかに作曲においては累積が有効でないことを示しています。ブラームスはベートーヴェンの偉大さに圧倒されて何度もシンフォニーを書き直し、最初のシンフォニーを完成したときには既に四三歳になっていたそうであります。作曲においては累積が無効であるばかりではなく、先代の偉大な成果は次代に抑圧的に働くように見えます。

もう一〇年以上前になると思いますが、ジョン・ケージ (John Cage) という作曲家が『四分三三秒』とかいう表題の曲を書いたという話を聞いたことがあります。それはストップウオッチをもったピアニストが舞台に現われ、お辞儀をしてピアノの前に座り、何もせずにストップウオッチをじっと眺めて、四分三三秒経つと立上がってお辞儀をして舞台裏に引込むという変わった曲でありまして、その四分三三秒間における聴衆の咳払い、溜息等が音楽を提供するというのだそうであります。勿論この世の中にはいくらでも変わった人がいますから、ケージがこんな曲を書いたこと自身はどうでも構いませんが、この曲について現代の音楽家、評論家が真面目に議論しているところを見ると、作曲は先代の偉大な業績に抑圧されて行き詰ってしまったと考える他ない、大体、常識のある人でこの『四分三三秒』などという馬鹿な曲を真面目に聴く人がいるでしょうか？

このように累積が有効に働かないものには進歩という概念は適用されません。作曲が時代と共に進歩すると考えたのが作曲が行き詰った原因であるという説さえあります。従って人類の進歩は累積の効果が最も著しく人類が最も得意とする科学・技術の進歩以外には考えられません。

地球が始まって以来いろいろな型の生物が出現しては滅亡しました。今まで出現した生物の九〇％は既に滅亡したといわれています。生物の進化の共通な誤りは一定の方向に進化し過ぎること、例えば大きくなり過ぎることであるように見えます。恐竜は大きくなり過ぎて滅亡しました。象も大きくなり過ぎて、かつては三〇〇種類もあった象のうち殆どすべて滅亡して、現在生き残っているのは僅か二種類です。南米に住んでいるナマケモノ(sloth)は、逆に、徹底的に怠ける、木にぶら下がったままじっとして動かないので体に苔が生えて植物と区別がつかなくなる、そういう風にして滅亡を免かれてきたそうであります。

人類も、恐竜が強大になり過ぎて滅亡したのと同じように科学・技術が発達し過ぎて滅亡するのではないかと憂うる識者がおられます。しかし、人類が科学・技術のために滅亡するとしてもそれは科学・技術が悪いのではない、科学・技術を悪用する人間の本能の仕業であります。確かに、最近一〇〇年間における科学・技術の進歩が一〇〇年ではなく一〇万年にわたる遅々としたものであって個々の生物としての人類がそれに適応した進化を遂げたとしたならば、現在の世界はもっと調和のとれた安定したものであったのに違いないのでしょうが、既に科学・技術は一〇〇年間に予想を絶した進歩を遂げてしまって、われわれはそれによって生活している、今更これを逆転することは出来ません。殊に日本のように何の資源もない狭い国土で一億の人間が生活して行くには科学・技術以外に何にも頼るものはないのであります。

科学・技術の急速な発展は公害等いろいろな難問を発生させましたが、それを解決するには新しい技術を開発するより他仕方がない、その新しい技術がまた新しい問題を生じるでしょうが、それを解決するには更に新しい技術を開発する、こういう無限のプロセスを追求して行く以外に道はないと思うのであります。科学・技術が生ずる難問を回避するために自然に帰れという識者もおられますが、これは、例えば、象に向って「お前は大きくなり過ぎて滅亡寸前である。もう一度小さくなってナマケモノを見習ったらどうだ」と言うような不可能なことではないでしょうか？

科学・技術による人類の滅亡を防止するためには、何とかして人間の本能的な面を押え理性的な面を強化して行くより他方法はないと思います。最近本能的感情的な面を強調する傾向が見える、それどころか本能的感情的な主張をし本能的感情的に行動することが民主的であると考える風潮がありますが、これは甚だ歎かわしい危険な現象であると思います。大学関係について一例をあげれば、先年の大学紛争以来学生自治会と学部長の団体交渉という奇怪な風習ができました。私も学部長のときこの団交をやらされましたが、書面で済む交渉を何故大勢が集まって時間を浪費しなければならないのか、どうしても理解できないので、団交のはじめに「何故君達は団交を好むのか、書面で交渉する方がよいではないか」と聞きましたら、「学部長から直接話を聞きたい」というので、「生物間の情報伝達は生物が進化する程間接的になるものだが、君達は進化に逆行する積りか」と聞き返しましたところ、何の返事も得られませんでした。団交という風習が本能的、呪術的な儀式であることを示しています。更に不思議なのは教授の方がどなたもこの奇怪な風習に疑問をもたれないように見えることであります。

人間の本能的な面を押えるにはどうしたらよいか、私にはよくわかりませんが、一つの可能性は科学・技術の進歩によってどうしても本能を押えざるを得ない状況をつくり出すことであると思われます。例えば、誠に皮肉な話でありますが、核爆弾は既にそういう状況をつくり出しているのではないか、現在まで第三次世界大戦の勃発を阻止している要因の一つは核爆弾であると思われます。

しかし、これは言わば脅迫によって本能を押えているのであって、押え切れなくなったときにはひどいことになります。矢張り何とかして人間の理性的な面を強化して、それによって本能を押えなければなりません。それにはどうしたらよいか、まず第一に何故理性的な生物といわれる人間の理性が本能を押えることが出来ないのか、私にはわかりませんが、ケストラー(A. Koestler)の『機械の中の幽霊(The Ghost in the Machine)』によりますと、それは人間の脳髄の構造に根本的な欠陥があるからだそうであります。爬虫類が進化して哺乳動物になり、それが更に進化して人間になった、その過程において、爬虫類の脳髄が進化発展して人間の脳髄になったのではなく、哺乳動物は爬虫類の脳髄をそのまま受けつぎその上に新しい哺乳動物の脳髄を積み上げた(superimposed)、そして人間はこの二重の脳髄をそのまま受けつぎ更にその上に新しい人間の脳髄を積み上げた、従って人間の脳髄は三層になっている、そしてこの三層の間の階級組織(hierarchy)が明確でなく、最上層の理性的脳髄の下層の本能的脳髄に対するコントロールがうまく利いていない、というのであります。このケストラーの説が専門家にどの程度認められているか、私は全然知りませんが、人間の脳髄の構造にこういう欠陥があるとすれば、理性によって本能を押えられないわけはよくわかります。

Z教授の言われた「人間は決断をするときには胃袋を用い、その決断を正当化する理屈を考え出すために頭を使う」というのは「人間は決断をするときには下層の動物的脳髄を用い、その決断を正当化する理屈を考えるために最上層の理性的脳髄を使う」と解釈されます。人間の脳髄にこのような根本的な欠陥があるならば、理性によって本能を押えることは望めないという悲観的な結論になります。しかし、前に申上げましたように、今更科学・技術の発展を中止してナマケモノのように生活することは不可能であります。人類滅亡の危険を冒しても科学・技術の発展に努めるより他仕方がない。地球上のすべての生物は常に滅亡の危険にさらされていることはその九〇%が既に滅亡したことからも明らかでありますが、人類もその例外ではあり得ないということになります。

付　記

最近のカール・セーガン(Carl Sagan)、パウル・エーリッヒ等の研究によると大規模な核戦争は核の冬を惹き起す。核攻撃によって生じる都市や森林の火災の煙、核爆発の塵、等が空を蔽って太陽の光をさえぎり、地上は暗くなって温度が下る。これが「核の冬」である。その程度はもちろん使用された核兵器の量により、またミサイル基地を攻撃したか都市を攻撃したか、等による。現在超大国ソ連とアメリカが保有する核兵器の総破壊力は一万五〇〇〇メガトンに達する。これは広島に落とされた原爆の破壊力の一二五万倍である。核戦争が勃発して両超大国が合計一万メガトンの核兵器を使用してミサイル基地と都市を攻撃した場合、数カ月で北半球の内陸部の温度はマイナス四〇度まで下り、一年後も零度以下に止まる。五〇〇〇メガトンの核兵器を使用した場合でも数週間で温度はマイナス二十数度まで下り、平常の状態に戻るまでに一年近くかかる。太陽光線をさえぎる力は爆発の塵よりも火災の煙の中の煤《すす》の方がずっと大きいので、都市を主な目標とした場合には一〇〇メガトンの核攻撃でも数週間で温度はマイナス二〇度まで下るという(カール・セーガン『核の冬』、野本陽代訳、光文社、一九八五年)。

一〇年前この講演が行われた時点では未だ核の冬は知られていなかった。都市に対して大規模な核攻撃が行われると、爆風、放射線、火災、などにより数億人が死ぬであろう、という予測はされていたが、核戦争の気候に対する長期的影響については誰も余り注意を払わなかったらしい。

核の冬で地上の温度が数カ月に亙《わた》ってマイナス二〇―四〇度に下れば農作物は全滅し、戦争の直接の被害を免がれて生き残った人も飢えと寒さで死んでしまうであろう。核の冬は南半球にも拡がるから、われわれの文明が滅亡することは確かで、下手をすれば人類が滅亡してしまうかも知れない(上出『核の冬』参照)。仮に超大国の一方が奇襲先制核攻撃に成功して他方の核兵力を殲滅《せんめつ》したとしても、勝った方の国民まで核の冬で凍え死んでしまうことに変わりはない。

核をめぐるこういう状況に人間の理性と本能の相克の窮極的な姿が見られる。理性の命ずる所に従えば核兵器は当然全廃すべきものである。それにも拘らず核兵器の削減さえできないのは両超大国が少しでも優位に立って相手を支配したいという本能に従っているからであろう。このまま進めば識者が指摘するように、いつかは事故か誤算により、核戦争が起り、一旦起こればたちまち一万メガトン級の大戦争にエスカレートしてしまうであろう。そうすれば、人類は大脳が発達し過ぎて滅亡した地球上最初の生物ということになりかねない。

六五〇〇万年の昔白亜紀の終りに恐竜が絶滅した。その原因は謎とされていたが、一九八〇年にアルヴァレス父子は白亜紀の終りの地層がその上下の地層に比べて多量のイリジュウムを含むことを発見し、そのことから直径一〇キロメートルの巨大な隕石が落下して爆発し、その塵が空を蔽って太陽の光をさえぎり地上の温度が下ったのが原因である、という説を唱えた。また最近の『タイム』誌(*Time*, October 14, 1985)によると、シカゴ大学のアンダースはその地層が上下の地層に比べて一万倍も多くの炭素を含み、しかもそれが塊って蠟燭《ろうそく》の煤のような形をしていることを発見し、爆発によって生じた火災の煙の方が主な原因である、という新説を発表した。ベーリング海に落ちた巨大隕石の爆発のエネルギーは一億メガトンに達し、華氏三〇〇〇度(約摂氏一七〇〇度)の火球が音速で拡がってアジアと北米に巨大な山火事を起し、その黒煙が成層圏まで上昇して地球を蔽った、というのである。核の冬と同様な隕石の冬とでもいうべき現象が起こったわけである。

巨大隕石が地球に衝突したのは全く偶然の事故であって、この事故が無かったとすれば七〇〇〇万年に亙《わた》って繁栄した恐竜はさらに数千万年繁栄し続け、哺乳類の発展が遅れて現在未だ人類は発生していなかったであろう。巨大隕石の衝突は恐竜にとっては呪うべき事故であったがわれわれ人類にとっては祝福すべき事件であったことになる。

今から六五〇〇万年後の未来の地球上に新しい知的生物が文明を築き、古生物を研究して「昔栄えていた人類という動物が六五〇〇万年前に突然絶滅した。その原因は大脳が発達し過ぎて多核弾頭ミサイルという馬鹿な武器を発明し、戦争をしたためらしい」という発見をした、というようなことにならないことを望むのみである。

II

このままでは日本は危ない

　最近の大学生の学力の低下には目を覆いたくなるものがあります。ここで学力というのは、知識の量ではなく、自分でものを考える力を意味します。資源に乏しい日本の経済は科学・技術における日本人の独創力に掛かっているわけですから、このままでは日本の将来は危ないのではないか、と思います。

　なぜこんなに学力が低下してきたのでしょうか？　近頃の子供は小学生のときから塾に通ったりして実によく勉強します。それにも拘らず学力が低下してきたのはどこかに無駄があるのではないか？　そう思って初等・中等教育を見ますと、あまりにも多くの事柄をあまりにも早くから教え過ぎているのではないか？　という疑問がでてきます。

　どの教科にもそれを教えるのに適当な年齢――適齢というものがある筈《はず》です。現在の初等・中等教育ではいろいろな教科が多くの事柄を適齢を無視して早くから教えようと競っているように見えます。たとえば理科や社会は小学校の一年から教えています。あまりにも多くの教科を早くから教えようとするために、理論的な教科も暗記物に堕し、生徒は教えられたことを暗記するのにいそがしくて自分でものを考えるゆとりを失っている、これが学力低下の一つの原因ではないでしょうか？

物事には子供のときに習得しておかなければ大人になってからではどうしても覚えられないことと、大人になってからでも簡単に覚えられることがあります。読み書きは子供のときに習得しておかなければ大人になってからでは覚えられませんが、たとえば目玉焼きの焼き方などは大人になってからでも簡単に覚えられます。子供のときに習得しておかなければ大人になってからでは覚えられない教科で、しかも日常生活に必要なものが小学校における基礎教科ですから、基礎教科はまず国語、つぎに算数ということになります。

私が子供であった頃――今からおよそ六〇年前の小学校では国語が一年のとき週一〇時間、二年から四年までは週一二時間ありました。そして修身、唱歌、体操を除くと、二年までは国語と算数以外は何もなく、図画が三年から、理科が四年から、現在の社会に相当する歴史と地理は五年からでした。まず基礎教科の国語と算数を十分時間を掛けて徹底的に教えることを第一目標とし、理科、歴史、地理は適齢に達してからゆっくり教えよう、という当時の教育の基本方針がこの時間の配分によく表われています。

私は現在の教育よりも昔の教育の方がよかった、などというつもりはありませんが、まず基礎教科を十分時間を掛けて徹底的に教え、他の教科は適齢に達してから教えるべきである、という教育の基本は今も昔も変わらないと思います。現在の初等・中等教育にはこういう全教科を統制する基本方針が欠けているように見えます。

ある教科をまだその適齢に達していない子供に教えようとすると、教える内容はつまらないものになり、結局時間と労力の浪費となります。このことは、たとえば、現行の小学校一年の理科や社会の教科書を見れば直ぐにわかります。現在小学校の一年から週二時間社会を教えていますが、仮に昔のように社会を五年から週四時間教えることにしたとすれば、現在一年で教えている内容を教えるには二週間もあれば十分でしょう。このように適齢に達してから教えれば簡単に教えられる内容をなぜ苦労して一年から教えなければならないのか、理解できません。現在中学校まで義務教育になっていますから、小学校と中学校を一貫した教育と考えれば、社会を小学校五年からはじめても決して遅過ぎる心配はありません。そして五年生になれば国語の実力がついていますから、一年からはじめるよりずっと能率よく教えられます。理科についても事情は同様です。

国語と算数が基礎教科であるというのは小さいときに習得しておかなければ中学生になってからではもう覚えるのが難しい教科であるということですから、これを五年からはじめる、などということは考えられません。どうしても一年のときから十分時間を掛けて教えなければなりません。この点基礎教科は社会や理科などと性格が違います。理科や社会を無理に一年から教えることを止めて、たとえば五年からはじめることにすれば、理科・社会の教育は能率が上がり、基礎教科の教育が強化されて、子供が自分でものを考えるゆとりができると思うのです。五年からはじめた方が能率よく教えられる教科を無理して一年から教えるために基礎教科の教育がおろそかになる、ということがあっては、子供に対して申し訳ないと思います。

初等・中等教育全般についても事情は同様で、生徒の学力・独創力を養うには、いろいろな教科が競って早くから多くの事柄を教える、という行き方を逆にして、まず基礎的な教科を十分時間を掛けて徹底的に教え、他の教科は適齢に達してからゆっくり教える、という行き方に改めるべきであると思います。そして教科によってはわざわざ学校で教える必要がないことまで教えていますが、学校で教えることはどうしても必要なことに限るべきでしょう。このためには大所高所から全教科を統制する基本方針を確立しなければなりません。もしも――そんなことはないと思いますが、もしも教科の間の勢力争いのようなものがあって、これができないということならば、学生の学力低下は続き、科学技術における外国との競争に敗れ、経済は停滞し、日本の繁栄は終焉を迎えることになると思います。

（『初等教育資料』一九八三年三月号）

原則を忘れた初等・中等教育
——何のため、そして誰のために急ぐのか——

最近七—八年間における大学生の学力の低下には目を覆いたくなるものがある。ここで学力というのは知識の量ではなく、自分でものを考える力を意味する。つまり知恵である。資源に乏しい日本の経済は日本人の科学・技術における独創力に掛かっているのであるから、このまま学力の低下が続いたのでは日本の将来は危ういのではないか、と思う。

なぜこんなに学力が低下してきたのであろうか？　近頃の子供は小学生のときから塾に通ったりして実によく勉強する。それにもかかわらず学力が低下してきた原因の一つは、初等・中等教育において、原則を忘れて、あまりにも多くの事柄をあまりにも早くから教えようとするために、生徒が教えられることを暗記するのにいそがしく、自分でものを考える余裕を失っていることにあると思う。

原則というと何か難しい教育の原理のように聞えるかも知れないが、私が原則というのは極めて常識的な当り前なことであって、要するにものを教えるには教える順序があり、また教えるのに適当な年齢があるということである。

このことをまず小学校の教育についてもう少し詳しく説明すればつぎのようになるであろう。

物事にはつぎの三種類がある。

(A) 子供のときに習得しておかなければ大人になってからではどうしても覚えられないこと、例えば読み書き。

(B) 大人になってからでも簡単に覚えられること、あるいは大人になってからの方が子供のときよりも早く覚えられること、たとえば目玉焼きの焼き方。

(C) わざわざ学校で教えなくても自然に覚えること、たとえば楽しく食事をすること。

このように物事を分類してみれば、小学校の教育においてその内容が(A)に属する教科に重点をおくべきことは自ずから明らかであろう。小学校の教科でその内容が(A)に属するものは国語と算数である(たとえばピアノの演奏も(A)に属するが、これはピアニストになる極めて少人数の子供を除けば不要である)。国語と算数が小学校における基礎教科といわれる所以である。

原則一 小学校では国語と算数を十分時間をかけて徹底的に教えることを第一目標とし、余った時間で他の教科を教える。

文部省の指導要領をみると現在小学校の五―六年で週二時間ずつ教えている家庭科の内容には、卵料理、サンドイッチの作り方、楽しい会食、など、(B)と(C)に属するものが多い。

つぎに、どの教科にもそれを教えるのに適当な年齢――適齢というものがある。これも自明であろう。小学校で哲学を教えないのは小学生が哲学の適齢に達していないからである。適齢に達していない子供にその教科を教えようとすると教える内容は希薄になり、結局時間と労力の浪費となる。

原則二　国語と算数以外の教科は生徒が適齢に達してからゆっくり教える。

現在の小学校では一年から社会と理科を週二時間ずつ教えているが、低学年の小学生はまだ社会や理科の適齢に達していないと思う。

指導要領によると二年の社会の内容はつぎのようになっている。

(1)　日常生活に見られる職業としての仕事を整理するとともに、小売店の人々は客が品物を買いやすいように販売の上でいろいろ工夫していることに気付かせる。

(2)　農作物を栽培する人々や水産物を育成したり採取したりする人々は自然の条件を生かす工夫や災害を防ぐ努力をしていることに気付かせる。

(3)　工場で働く人々は原料を加工して製品を作るために仕事を分担しながら協力していることに気付かせる。

(4)　乗り物で働く人々は乗り物の出発や到着の時刻を守りながら乗客の安全な輸送に努めていることに気付かせる。

(5)　郵便物の集配に携わる人々は郵便物を確実に早く届けるように努めていることに気

付かせる。

この(1)―(5)は大人になるまでには誰でも自然に気付くことである。なぜこれを毎週二時間も費やして七―八歳の子供に気付かせなければならないのか、不可解である。この指導要領によってつくられた教科書をみると、たとえば(1)については、えんぴつは文房具屋で、魚は魚屋で買うというようなことを、また、たとえば(4)については電車の運転士は信号が青になるのを確かめてから発車させる、というようなことを教えることになっているようである。二年の社会科の内容はこのように希薄である。明らかに二年生は社会科の適齢に達していないことを示している。

小学校は義務教育である。教わるのが義務であるというからには教える内容は生徒にとってどうしても小学校で学んでおく必要があるものでなければならない。二年生に社会科を教えるというならばその内容はどうしても七―八歳のときに学校で習っておく必要があるものでなければならない。必ずしも必要でないものを教えるために貴重な時間を浪費してどうしても必要な基礎教科の教育がおろそかになる、というようなことがあっては子供に対して申し訳ないと思う。上記の社会科の内容(1)―(5)のいずれをみてもどうしても二年生のときに教えておかなければならないものは見当らないと思うのである。

小学校低学年の理科についても事情は同様である。指導要領の二年の理科の内容はつぎのようになっている。

(1)　植物の種子を蒔いて育てさせながら、植物は芽を出して育ち、花が咲いて多くの種子ができること及び日なたと日陰とでは育ち方に違いがあることに気付かせる。
(2)　草むら、水中などの動物を探したり工夫して飼ったりさせながら、それらの食べ物、住んでいる場所、動きなどに違いがあることに気付かせる。
(3)　物を水に溶かし、溶ける様子を見たり、溶かし方を工夫したりさせながら、物と水の変わる様子および水の温かさによって溶ける速さに違いがあることに気付かせる。
(4)　空気を入れ物の中に閉じ込めたり、水の中に入れたりさせながら、身の回りには空気があることに気付かせる。
(5)　おもりで動くおもちゃを工夫して作ったり動かしたりさせながら、おもりの重さ、付け方などによって動きに違いがあることに気付かせる。
(6)　乾電池に豆電球、導線などをつないで点灯したり、それらを使った活動を工夫したりさせながら、豆電球が点灯するつなぎ方及び電気を通す物と通さない物があることに気付かせる。
(7)　いろいろな物を使って音を出したり伝えたりさせながら、音が出ている物は震えていることおよび糸などは音を伝えることに気付かせる。
(8)　日なたと日陰の地面の様子を比べて、地面の暖かさ、乾き方、水の温まり方などに違いがあること及び日陰の位置は太陽の動きによって変わることを気付かせる。

(9) 砂や土と水を使った活動を工夫させながら、砂や土の手触り、固まり方、水の滲み込み方、水の中に入れたときの沈む様子などに違いがあることに気付かせる。

この(1)―(9)についてもこれをどうしても二年生のときに教えておかなければならないという必然性はみられない。この指導要領にしたがってつくられた教科書を見ると、たとえば(2)については、水中にはメダカ、ゲンゴロウ、タニシ、ザリガニ、等が住んでいること、ザリガニを飼うには餌はごはん、パン、きゅうり、等をやればよいというようなことを、(4)については風船をふくらませたりポリ袋をふくらませたりする、というようなことを教えることになっているようである。

さらに、社会や理科についても一年のときから試験がある。試験がある所必ず受験産業ありで、受験産業が各社の教科書に準拠した問題集を発行している。もちろん問題集には解答がついている。この問題集を見ればおおよそどんな試験が行われているかがわかる。

二年の社会の問題の一例をあげると

つぎのしなもののうちお母さんがたまにしか買わないものに○をつけなさい。

(1)さかな、(2)下ぎ、(3)インキ、(4)やさい、(5)パン、(6)テレビ、(7)くつした、(8)くだもの、(9)とうふ、(10)ボールペン(時間一〇分)。*

このように試験は時間が厳しく制限されていて問題には○×式のものが多い。これは大学入試が時間制限に厳しく、○×式の問題が多いことの影響であろう。○×式の問題を厳しい制限時間内に解く能力を養っても学力――自分でものを考える力――を養ったことにはならないと思う。なぜなら、○×式では解答は半分以上与えられていて、ゆっくり考えている閑がないからである。○×式の試験が独創力の発達を妨げていることにあまり注意が払われていないようであるが、これは実に残念なことである。

＊この問題はある問題集の真似をして私がつくったもので、問題集の問題をそのまま写したのではない。社会の問題集で気になるのはどの問題にも解答がただ一つしか与えられていないことである。社会のような複雑な現象に関する問題には当然正解がただ一通りに定まらないものがあるはずである。この問題にただ一つの解答を与えるとすれば、それは日本人の平均的な家庭にあてはまるものでなければならない。ゆえに⑵、⑶、⑹、⑺、⑽に○をつけるのが正解であることになる。しかし世の中には純日本式でパンは買わないお母さんがいるであろう。その子供は当然⑸に○をつけることになるが、そのお母さんが熱心な教育ママである場合、子供に「うちではパンは買わないけれど、学校の試験でこういう問題が出たらパンに○をつけてはいけませんよ」と教えるのであろうか？　社会の試験で、うちの子供は答は合っているのに×点を貰った、という不平をときどき耳にするが、学校で行われる試験でも、正解をあらかじめ一つ定めておいて、それに合わない答には×点をつけることがあるのではないかと思う。こういう試験で×点をつけられた子供が「先生はずるいよ。答をちゃんとかくしてもっているんだもの」と言ったのを聞いたことがある。

表1　小学校の教科とその毎週の授業時間数

昭和55年度〜

学　年	1	2	3	4	5	6
国　語	8	8	8	8	6	6
社　会	2	2	3	3	3	3
算　数	4	5	5	5	5	5
理　科	2	2	3	3	3	3
音　楽	2	2	2	2	2	2
図画工作	2	2	2	2	2	2
家　庭	—	—	—	—	2	2
体　育	3	3	3	3	3	3
道　徳	1	1	1	1	1	1
特別活動	1	1	1	2	2	2
計	25	26	28	29	29	29

（備考）　1単位時間は45分.

大正8年—昭和15年

<table>
<tr><th>学　年</th><th>1</th><th>2</th><th>3</th><th>4</th><th>5</th><th>6</th></tr>
<tr><td>修　身</td><td>2</td><td>2</td><td>2</td><td>2</td><td>2</td><td>2</td></tr>
<tr><td>国　語</td><td>10</td><td>12</td><td>12</td><td>12</td><td>9</td><td>9</td></tr>
<tr><td>算　術</td><td>5</td><td>5</td><td>6</td><td>6</td><td>4</td><td>4</td></tr>
<tr><td>日本歴史</td><td>—</td><td>—</td><td>—</td><td>—</td><td>2</td><td>2</td></tr>
<tr><td>地　理</td><td>—</td><td>—</td><td>—</td><td>—</td><td>2</td><td>2</td></tr>
<tr><td>理　科</td><td>—</td><td>—</td><td>—</td><td>2</td><td>2</td><td>2</td></tr>
<tr><td>図　画</td><td>—</td><td>—</td><td>1</td><td>1</td><td>男 2
女 1</td><td>男 2
女 1</td></tr>
<tr><td>唱　歌</td><td rowspan="2">4</td><td rowspan="2">4</td><td>1</td><td>1</td><td>2</td><td>2</td></tr>
<tr><td>体　操</td><td>3</td><td>3</td><td>3</td><td>3</td></tr>
<tr><td>裁　縫</td><td>—</td><td>—</td><td>—</td><td>女 2</td><td>女 3</td><td>女 3</td></tr>
<tr><td>計</td><td>21</td><td>23</td><td>25</td><td>男27
女29</td><td>男28
女30</td><td>男28
女30</td></tr>
</table>

（備考）　1）1単位時間の規定なし.
2）以上のほか「手工」も課すことが認められていた.

表1は大正八年―昭和一五年および昭和五五年以降における小学校の教科とその毎週の授業時間数を示す。この表を見れば明らかなように、昔私が子供であった頃の小学校では国語が一年のとき週一〇時間、二年から四年までは週一二時間あった。そして修身、唱歌、体操を除くと、二年まで国語と算術以外は何もなく、図画が三年から、理科が四年から、現在の社会に相当する歴史と地理は五年からであった。まず基礎教科の国語と算術を十分時間を掛けて徹底的に教え、理科、歴史、地理は適齢に達してからゆっくり教えるという

原則に則った当時の教育の基本方針がこの授業時間の配分によく現われていると思う。そして基礎教科のなかでも特に国語が重視されていたことがわかる。一年から四年までの国語の授業時間数を合計すると週四六時間になる。現在の一年から四年までの国語の授業時間数の合計週三二時間のおよそ一倍半である。当時の小学校五年生の国語の実力は相当なものであったと想像される。

たまたま私の手元に大正二年発行の小学校五年の読本がある。さらに一昔前、三―四年の国語が週一四時間あった時代のものであるが、これを見れば昔の小学校五年生の国語の実力のおおよその程度がわかる。以下その一部を引用する。

昔ヲ知レル人、若シ舊道ノ今ノサビシサト、昔ノニギハシサヲクラベ見バ、世ノ轉變ノ如何ニ甚ダシキニ驚クナラン。然レドモ自然ノ轉變ハ更ニ是ヨリモ甚ダシキモノアルヲ知ラズヤ。旅人ノ往來盛ナリシ箱根驛モ、浴客ノ多ク集レル今ノ箱根七湯モ、遠キ昔ハ共ニ恐ロシキ噴火山ナリシナリ。

我が國到るところ名勝の地にとぼしからざれども、よく人工の美と天然の美とを併せたるは日光に如くはなし。されば一年中遊覧者跡を絶たず、夏の盛りの頃、秋の紅葉の折には來り遊ぶもの最も多し。外國人の我が國に來る者亦必ずここに遊びて、日光の結構を賞せざるものなし。

春の雨はしめやかに降って、のきの玉水の音も静かに聞える。春の初に降るのは一雨毎に花をもよほすかとうれしい。「紅白花は開く煙雨の中」という景色は、静かな中にも美しいながめである。併し此の雨はやがて花を散す雨となるので、其の時はうらめしい心地がする。雨のはれた朝、花の香を送って、そよそよと吹く春風には、我が身も蝶の様に飛立ちたくなる。

連日の大雨に候へば、大川に近き御地は如何と案じ居り候ところ、本日の新聞により、御地方は非常の出水にて、死傷も少からざる由承知致し驚き入り候。御一家御無事に御座候や。御老人・御子供衆も御大勢の事故如何やと御案じ申し居り候。取りあへず御見舞まで。草々。

現在の初等教育では、こういう全教科を統制する大局的な基本方針が欠けているらしく、いろいろな教科が原則を無視して競って早くから多くの事柄を教えようとしている。現在小学校では一年から社会を教えているが、仮に昔のように五年になって国語の実力が十分ついてから社会を教えることにしたとすれば、一年から教えるよりもずっと能率よく短い時間で密度の濃い内容を教えることができる。現在の一年の社会の内容を教えるには二週間もあれば十分であろう。理科についても事情は同様である。

このように適齢に達してから教えれば能率よく教えられる内容をなぜ急いで苦労して一年から教えなければならないのか、理解に苦しむ。現在中学校まで義務教育になっているから、小学校と中学校を一貫した教育と考えれば、社会と理科を五年からはじめても決して遅過ぎる心配はない。その上日本人の平均寿命は昔に比べて二〇年以上も延びている。一体何のため、そして誰のためにそんなに急ぐのか、不可解である。

中学校についても原則は同じである。小学校の場合と同様に物事を(A)、(B)、(C)に分類してみれば中学校における基礎教科は国語、数学、そして英語ということになると思う。英語は選択教科になっているが、その内容が(A)に属するという意味では基礎教科である。基礎教科であることと選択であることは必ずしも矛盾しないと思う。表2は公立中学校における いくつかの教科の毎週の授業時間数を示す。この表を見て直ぐに気付くことは、基礎教科の授業時間数がいくらなんでも少な過ぎることである。基礎教科の実力を養うには十分時間をかけて繰り返し練習させることが不可欠である。ことに英語は中学校ではじめて習うのであるから、週三—四時間ではどうにもならないのではないかと思う。中学生を子供にもつ母親が子供を塾に通わせるのは当然であろう。これに対して名門校といわれる私立の中学校では国語も数学も英語も週六—七時間教えていると聞く。国民の税金で賄われ

表2 公立中学校のいくつかの教科の授業時間数

学年	1	2	3
国語	5	4	4
数学	3	4	4
英語	3	3	4
社会	4	4	4
理科	3	3	4
技術・家庭	2	2	3

ている公立中学の方が私立中学よりも基礎教科を疎かにしているのは困ったことだと思う。

中学校の理科の指導要領の内容の中には中学生には早過ぎると思われるものがある。たとえば、運動とエネルギーについて、

・物体に力が働かないときには、物体の運動の様子は変わらないこと、

・落下運動は、時間とともに速さが変わること、

・重力による位置エネルギーは、物体の置かれる高さと質量とに関係すること、

・運動エネルギーは、物体の質量と速さに関係すること、

等を教えることになっている。そして内容の取扱いについて、つぎのように扱うことが要求されている。落下運動については実験を通して規則性を見いだす程度にとどめ、数式で表わすことはしない。運動エネルギーは定性的に取り扱い、数式には触れない。エネルギー保存については取り扱わないが、いろいろなエネルギーの移り変わりについては触れる。要するに数式を用いないでニュートン力学を教えよう、ということらしいが、これは無理な注文であると思う。ニュートン力学は理論物理の典型となったものであって、その真髄は物体の運動にみられる現象を数式で表わした所にある。そのニュートン力学から数式を

抜いてしまえば、せっかくの理論物理が暗記物に堕してしまう。この無理な注文に応じて理科の教科書を書かれた先生方には大いに敬意を表するが、やはり高等学校に入って適齢に達してから、まず必要な数学を教え、それに基づいてニュートン力学を教えるのがものの順序というものであろう。

高等学校についても、ものを教えるには教える順序があり、教えるのに適当な年齢がある、という原則は同じであるが、工業高等学校、商業高等学校があり、教科の種類も多く、事情が複雑であるから、ここでは高等学校には触れないことにする。

要約すれば、現在の初等・中等教育では、原則を無視して、多数の教科を早くから教えている。あたかも各教科がその勢力範囲を拡張するために競って早くから多くの事柄を教えようとしているかの如くである。このために理論的な教科まで暗記物に化し、生徒は教えられたことを暗記するのにいそがしく、自分でものを考える余裕を失っている。生徒の学力・独創力を養うにはこの行き方を逆にして、まず基礎教科を十分時間をかけて徹底的に教え、他の教科は適齢に達してからゆっくり教える、という行き方に改めるべきである。このためには大所高所から全教科を統制する基本方針を確立しなければならない。もしもこれができないということならば、学生の学力低下は続き、科学・技術における外国との競争に敗れ、経済は停滞し、日本の繁栄は終焉を迎えることになると思う。

終りに当って二、三付け足したいことがある。子供の生れつきもっている能力は千差万別、端倪すべからざるものがある。子供の個性を伸ばし独創力を養うには能力に差があるという事実を率直に認めて、それに対応しうる柔軟な教育が必要である。能力に差があるというと直ぐに差別はけしからんとか、不公平であるとかいう向きがあるが、能力差を認めない方が不公平である。例えばボクシングではヘビー級とライト級に分けて別々に試合をしている。ヘビー級の選手とライト級の選手を闘わせるのは不公平であるからである。人間の背の高さにさえ生れつき差があることをみれば、大脳のような複雑な組織に差があるのは当然であろう。日本の現在の教育制度は、このためには、あまりにも画一的で硬直している。もっと柔軟な教育制度に改めるべきである。このためには例えばつぎのような方策が考えられる。

。教科別に能力別学級編成を行う。ある生徒は国語はAクラス、算数はCクラス、別の生徒は国語はCクラス、算数はAクラス、ということになれば、能力別学級編成は不公平であるという主張も根拠を失うであろう。

。飛び級を許す。昔は小学校五年から中学校へ、中学校四年から高等学校へ入学できた。現在はこの程度の自由も認められていないのである。

。特に偏った才能をもつ生徒は特別に考慮する。ここで才能というのは学問における才能に限らない。音楽、絵画、その他、いかなる才能でもよいのである。

大学入試が○×式で時間が厳しく制限されていることの初等・中等教育への影響には計り知れないものがある。昔私が受験した旧制高校の入試も大学の入試も○×式ではなく、時間も十分あった。近頃の入試がどんなものか御存知ない読者のために、つぎに英語の入試問題の一例を掲げる。

次の文の空所に下記の語から最も適当なものを選んで一語ずつ入れよ。

It is impossible to be happy without activity, but it is also impossible to be happy if the activity is excessive or of a repulsive kind. Activity is agreeable when it is directed very obviously __(1)__ a desired end and is not __(2)__ itself contrary to impulse. A dog will pursue rabbits to the point of complete exhaustion and __(3)__ happy all __(4)__ time, but if you put the dog on a treadmill and __(5)__ him a good dinner after half __(6)__ hour he would not be happy till he got the dinner, because he would not have been engaged in a natural activity. One of the difficulties of our time is that, in a complex society, __(7)__ of the things that have to be done have the naturalness of hunting. The consequence is that most people, in a technically advanced community, have to find their happiness __(8)__ the work by which they make their living.

(注) treadmill 踏み車(昔獄舎内で囚人に踏ませた)

a an at be beyond few for gave give his in is many most of outside some the to

〈出題校〉大分大，京都教育大，藤女大
(原仙作著・中原道喜補訂，英文標準問題精講，旺文社より)

昔の受験勉強は学問の勉強であった。数学についていえば、数学という学問を勉強して数学がよくわかっていれば、数学の入試問題を解くことができた。現在の受験勉強は学問の勉強というよりも受験技術の練習という面が強い。数学の入試問題は、共通一次試験を除けば、○×式ではないが、いつの間にか問題のパターンが定まってしまっていた。このことに気付いて愕然とした経緯については機会があれば別に述べるが、そのためパターンにはまった入試問題ができて入学してきた数学科の学生が必ずしも数学がわかっているとは限らない、という奇妙な現象がおこっている。先日私が数学科の一年生に対して行ったアンケートの「講義がわからないというけれど、なぜわかるまで考えないのか？」という質問に対していみじくも「高校までの授業ではわれわれは常に受身で、自分でちゃんと理解していなくても問題は解けたので、わかるまで考えるということに慣れていないのではないかと思います」と答えた学生がいた。受験勉強が学問の勉強と異なることを言い得て妙であると感心した。

英語についても同様で、上掲のような入試問題を解く能力と英文の全体を読んでその意味を理解する能力は別なものであると思う。

大学生の学力低下のもう一つの原因はこのように大学入試の影響で受験勉強が受験技術の練習に堕してしまったことにあると思う。大学が時間制限の厳しい○×式の入試を止めて、昔のように時間が十分ある○×式でない入試に改め、試験の範囲を主として基礎教科に限れば、受験勉強すなわち学問の勉強となり、小学校の教育まで変わると思う。このためにはまず○×式の最たる共通一次試験を廃止すべきであろう。教育を改革するにはここからはじめるしかないと思うのである。

（『科学』一九八四年一月号）

追記

本文でいろいろな教科が原則を無視して競って早くから多くの事柄を教えようとしていることを指摘し、一体何のためそして誰のために急ぐのか、という疑問を呈した。先日この疑問をテーマとして「数学教育の会」で『何のために急ぐのか』と題する講演を行った。以下その要点を述べる。

何事についても一切の先入観を排して事実そのものを見ることは難しいが、殊に教育については難しい。誰でもかつては子供であった筈であるが、子供がどういうものか、なかなかわからない。よくわからないので何となく「子供は小型の大人である」と考えてしまう。小さい子供に急いで早くから多くの事柄を教えようとするのは一つにはこの「子供は小型の大人である」という先入観のなせる業であると思う。

子供が小型の大人でないことは子供を素直に観察すれば直ぐにわかる。たとえば、子供を連れてアメリカに移住すると、五―六歳の子供は一年間で完璧な英語をしゃべるようになるが、大人は一〇年経ってもなかなかうまくしゃべれるようにならない。このように言語を修得する能力においては大人は子供の足下にも及ばない。

また、たとえば、先年ルービック・キューブが流行した。ルービック・キューブは大人にとっては難しい問題であるが、この難問を小学生がテレビを見ながら簡単に解いてしまう。一体どういう風にして解くのか聞いて見たら、ルービック・キューブのあらゆるパターンを記憶し、どう廻せばパターンがどう変わるか、全部憶えてしまうのだという。成程全部憶えてしまえば解けるのは当然であるが、大人にはこういうことを理屈抜きで憶えることはまず不可能であろう。子供にはこういう理屈抜きの不思議な記憶力がある。

このように子供は小型の大人とは異なる別な生物である。小型の大人を図1で表わせば本物の子供は図2の様に表わされると考えられる。教育には子供の能力が図2のような格

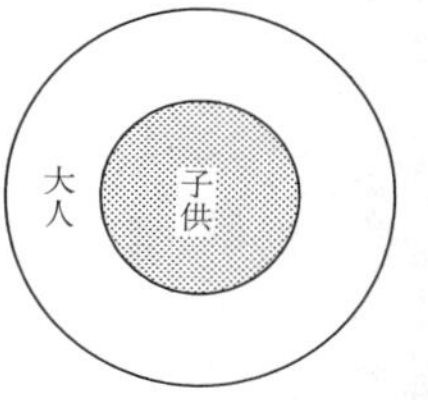

図1

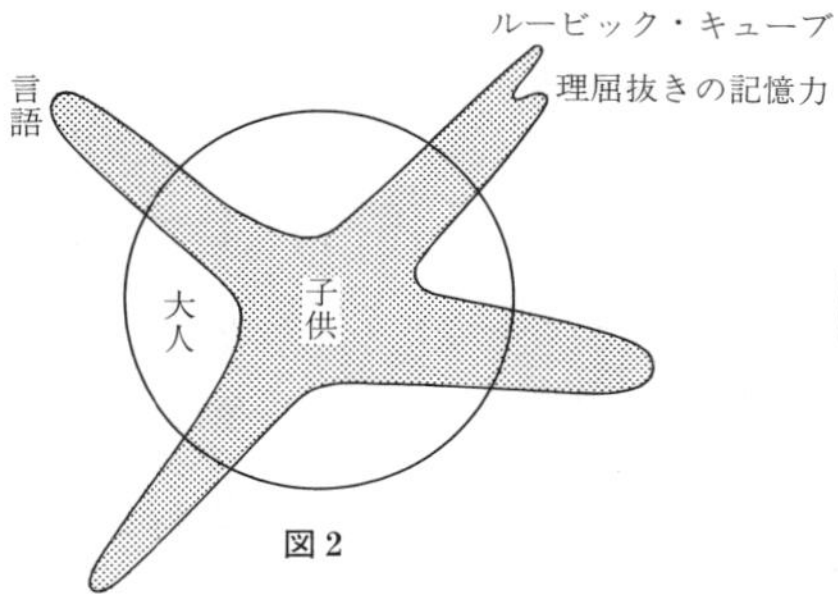

図2

好になっていることを十分考慮すべきであるが、現在の教育では、子供は小型の大人であるという先入観に妨げられて、この点甚だ不十分であると思う。

現在の教育に対する考えに子供は小型の大人であるという先入観があることは、たとえば、小学校の音楽の指導要領を見ればわかる。指導要領は一年からその内容が表現と鑑賞の二つに分かれていて、鑑賞する曲目まで指定されている。たとえば、四年で、モーツァルトのホルン協奏曲第一番の第一楽章を鑑賞することになっているが、鑑賞というのは大人の考えであろう。もしもいたずら盛りの四年生の男の子が或る日ステレオの前に坐ってホルン協奏曲をじいっと聴いていたら、この子は少し頭がおかしくなったのではないか、と心配になるであろう。

本文で述べたように、昔の小学校では修身、唱歌、体操を除くと、二年までは国語と算術以外は何もなく、図画が三年から、理科が四年から、地理と歴史は五年からであった。そして国語は一年のとき週一〇時間、二年から四年までは週一二時間あった(九〇ページ)。子供が言語を修得する能力に優れているうちに国語を十分時間を掛けて徹底的に教えておこう、という当時の教育の姿勢が見られる。これに対して現在の小学校では図画、理科、社会を一年のときから週二時間ずつ教え、国語は週八時間に減らされている。大人が知っているいろいろなことを一様に縮小して一年から教えているわけで、いつの間にか入り込んだ、子供は小型の大人であるという先入観の影響であろう。

数学教育について、旧制の中学、高校、大学の何年で何を習ったか、記憶を辿ってはっきり憶えている科目について表を作って現在と比較すると次ページの表のようになる。微分は旧制高校の二年で、積分は三年ではじめて習ったが、現在は高校二年の基礎解析で微積分をはじめる。年齢でいえば旧制高校の二年は現在の大学一年に、現在の高校二年は旧制中学の五年に相当する。立体幾何は旧制中学の五年ではじめて習ったが、現在はこれを中学の一年からはじめる。未知数 x の一次方程式は旧制中学の二年の代数ではじめて習ったが現在はこれを小学校の五年で教えている。統計に至っては旧制大学の二年の選択課目であったのを現在は中学の三年からはじめている。

このように、数学教育においても、昔に比べると現在は急いで早くからいろいろなことを教えている。ただ平面幾何は殆ど消えてしまった。

こういう「急ぐ」教育の短所は既に本文で指摘した。数学教育に限っても事情は同様である。基礎解析の微積分で実際に扱うのは多項式で表わされる関数だけであり、中学三年の統計はその香りを嗅がす程度に過ぎない。急いで早くから教えるのは結局時間と労力の浪費であると思う。

それでは「急ぐ」教育の長所は何であろうか？ 現在の「急ぐ」教育が昔われわれが受けたゆっくりした教育よりも本当に優れているのであろうか？ 昔いろいろな事情で小学校に行くことができず、大人になっても読み書きのできない人がいた。そういう人は「学校に行けないで本当に残念であった。自分の子供は是非学校に行かせたい」と考えたらしい。「急ぐ」教育が昔のゆっくりした教育よりも本当に優れているならば、われわれも「小学校の一年生のとき社会を習わないで残念であった」とか「中学生のとき統計を習

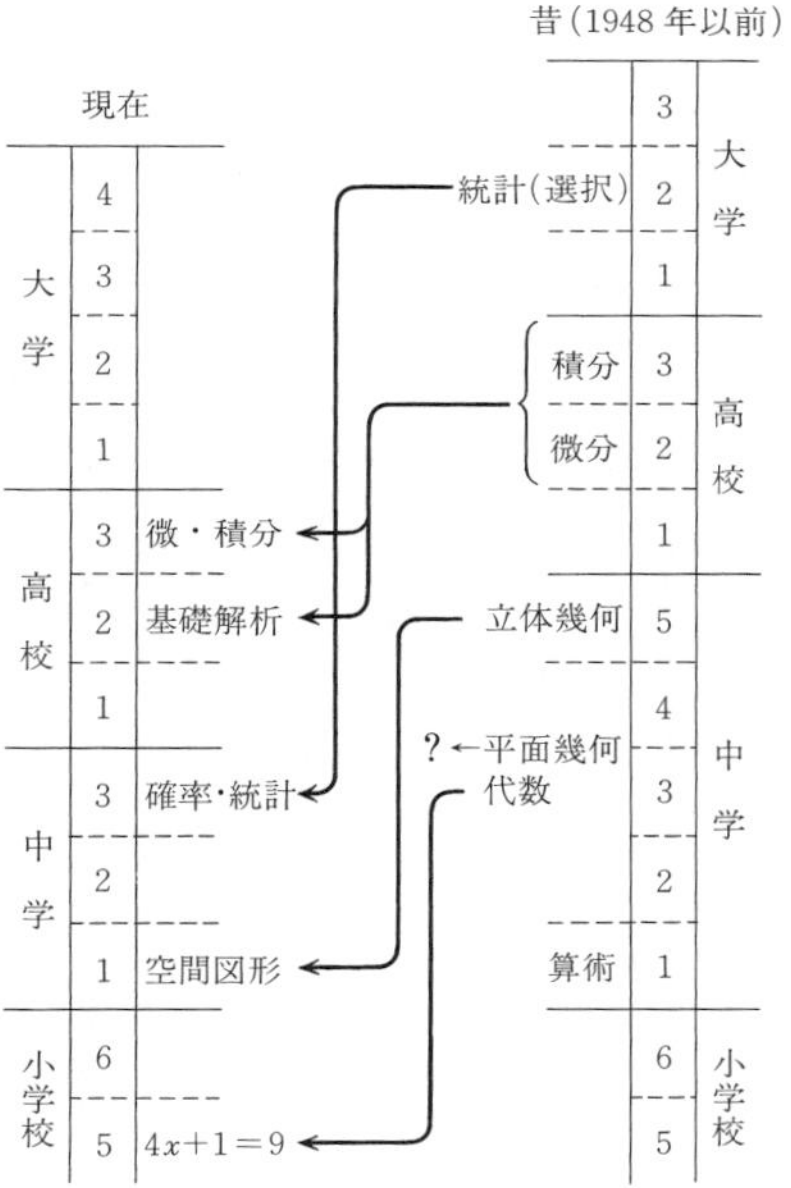

わなかったので困った」とか思う筈《はず》であるが、そうは思わないし、そう思ったという話を聞いたこともない。要するに長所は見当らないのである。

また日本人でノーベル賞を受賞した学者湯川先生、朝永先生、江崎さん、福井さんは皆旧制大学の卒業生である。勿論ノーベル賞だけで学問の業績を評価することはできないが、それにしても、もしも新制の「急ぐ」教育が旧制のゆっくりした教育よりも本当に優れているならば、新制大学の卒業生から多くのノーベル賞受賞者が現われそうなものであるが、未だ一人も現われていない。

現在の教育の「急ぐ」傾向は試験の仕方にもよく現われている。昔の試験は学内の試験でも入試でも問題の数が少なく、時間が十分あってゆっくり考えることができた。そして○×式の試験はなかった。現在の試験は小学校のときから屢々《しばしば》○×式で、問題の数が多く時間が厳しく制限されている。最近この傾向が急速にエスカレートして来たようである。一例としてつぎに昨年(昭和六〇年)の開成中学の算数の入試問題を掲げる。

制限時間五〇分で問題は六問ある。中学校の入試問題であるからこれを解くのは小学校の六年生である。一番は計算問題であるが、二番から六番までは皆難しい。私はこれを一生懸命に解いて見たが五〇分で完全に解くことは遂にできなかった。こういう入試を受けるには小学校でまじめに勉強しているだけでは勿論駄目で、塾に通って試験の練習をしなければならない。どういう練習をさせるか、塾へ行って見たことはないが、多分入試によく出る問題のパターンを調査して、どういうパターンの問題はどう解けばよいかを教え、入試に際しては、まず問題のパターンを見て解けるか解けないかを判断し、解ければパッと解く、解けなければ、考えていては時間がなくなるから、考えないでサッと諦めてつぎの問題に移る、というような受験の技術を教えるのであろう。そうでなければ一人前の数学者にも制限時間内に解けない問題が小学生に解けるわけがない。

子供は頭が柔軟であるから、こういうパターンを見て問題を解く受験技術を教え込めば次に掲げたような入試問題を解けるようになるが、それは猿に芸を仕込むようなもので、それで自分でものを考える力を養ったことになるかどうか、疑問であると思う。小学生が小学校で学んだ算数の知識だけに基づいてはじめから自分で考えてこの入試問題を制限時間内に解けるならば大したものであるが、そうならばその小学生が大学生になったとき物凄い学力を発揮するはずである。大学生の学力が年々低下している所を見ると、小学生は自分で考えて入試問題を解いているのではなく、パターンを見て猿真似で解いているのであろう。

大学の数学の入試問題もいつの間にかそのパターンが定まってしまっていて、パターンにはまった入試問題を解いて入学してきた数学科の学生が必ずしも数学がわかっているとは限らないことは本文で述べた(九八ページ)。入試問題のパターンが定まっていることに初めて気付いたのは推薦入学の生徒の面接で一〇人中九人までが微分係数の定義を知らな

4 ヤモリはどんな斜面《しゃめん》でもすべらないで歩くことができる動物です．1辺の長さが2mの正三角形4枚で作った三角すいO—ABCを平らな面の上に固定します．ヤモリを2mのひもで結び，ひものもう1つの端《はし》をA点に固定します．（ひもを結ぶ部分の長さとヤモリの大きさは考えないことにします．）

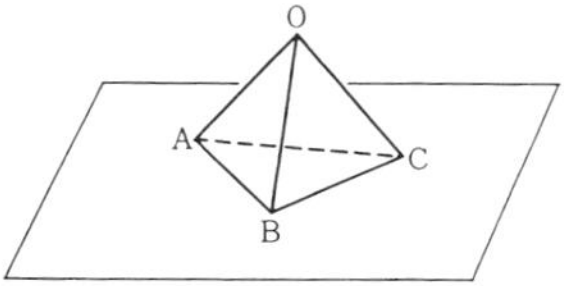

(1) 三角すいの表面で，ヤモリの動ける範囲《はんい》を，右の展開図上に斜線で示しなさい．

(2) ヤモリが動けるすべての範囲の面積を，4捨5入して小数第2位まで求めなさい．円周率は3.14としなさい．

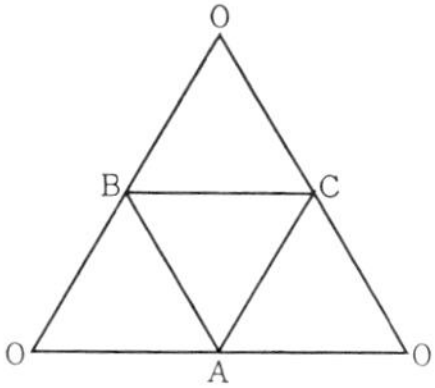

5 角Aが直角の直角三角形ABCがあります．AB, BC, CAの長さを，それぞれ4cm, 5cm, 3cmとします．AB上に点Dを，CA上に点Eをとり，AD, CEの長さをともに1cmにします．BE, CDの交わった点をFとするとき，三角形EFCの面積は$\frac{1}{5}$cm²になります．つぎのおのおのの面積と長さの比を求めなさい．

(1) 四角形ADFEの面積
(2) 三角形DBFの面積
(3) 三角形FBCの面積
(4) DF:FC
(5) BF:FE

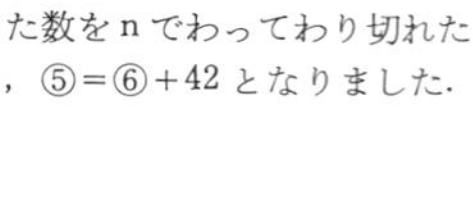

6 ある4けたの数があります．この数の1の位のところを，1けたの数nととりかえます．そうしてできた数をnでわってわり切れたとき，その商をⓝで表すことにしたら，⑤=⑥+42となりました．

(1) ⑥を求めなさい．
(2) ⑦を求めなさい．
(3) ②, ③, ……, ⑨の数の中で，各けたの数字の和が10になる数はいくつありますか．

1 つぎの計算をしなさい.

(1) $2 \div \left(2-\frac{1}{3}\right) \times 0.25 - 0.625 \div 2\frac{1}{2}$

(2) $1.1 \times 1\frac{13}{33} - \left(2\frac{3}{7} - 1\frac{4}{5}\right)$

2 ノートを7さつずつくばると28さつ余り,10さつずつくばると最後の1人に渡すノートの数は他の人の半分にも達しませんでした.ノートの数と人数を求めなさい.

3 T君とK君が同時にA地点を出発して,B地点を通ってC地点までいきました.

T君はいつも時速4kmで歩き,K君はA地点からB地点までを時速3km,B地点からC地点までを時速6kmで歩き,2人はB地点につくまでにともに1度だけ1時間の休けいをとりました.

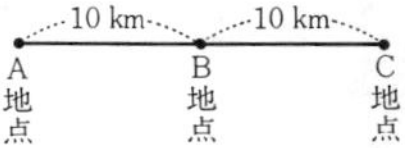

(1) T君とK君がC地点につくのは,それぞれ出発してから何時間後ですか.

(2) T君が休みはじめてから20分後にK君が追いぬいていきました.T君が休けいしたのはA地点から何kmのところですか.

(3) K君が休みはじめてから20分後にT君が追いぬいていきました.T君とK君がA地点を出発してからC地点にたどりつくまでの時間と歩いた距離との関係を表すグラフをかきなさい.

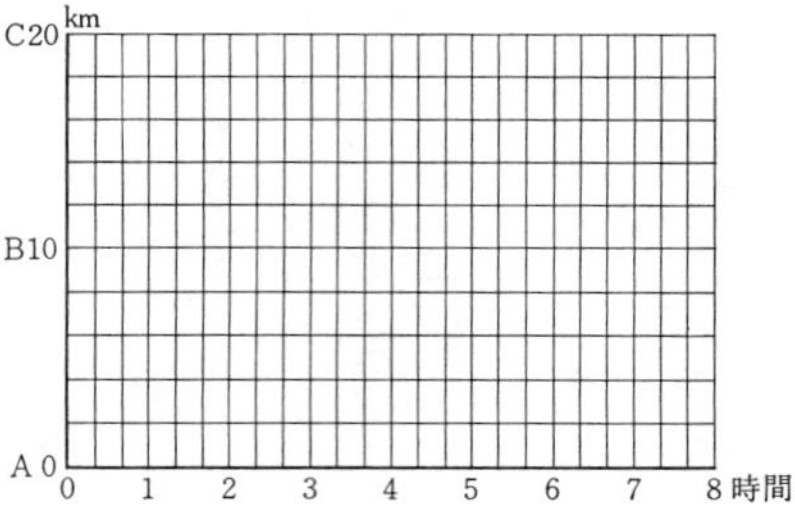

(4) 2人がもっともはなれるときのT君がいる地点と,そのときの2人の距離を求めなさい.

いことを発見したときである。「微分係数の定義を述べよ」などという問題は入試に出ないから定義は憶えていないのであろう。それにも拘らず「つぎの関数の極大値と極小値を求めよ」というような問題を微分を使って鮮やかに解いてみせるのはパターンを見て解いているのであろう。

このように、現在の「急ぐ」教育が昔のゆっくりした教育よりも優れているとは到底考えられない。それならば何のため、そして誰のために急ぐのであろうか？　子供のためでないことは確かである。また一人一人の教育者が急いでいるわけでもないらしい。結局日本の教育界に「急ぐ」という底流があってそれに流されている、とでも考えるしかないと思う。この点どなたか教育界の事情に詳しい方の御教示を仰ぎたい。

教育の「急ぐ」傾向がエスカレートすればする程生徒のパターンを見て問題を解く傾向がエスカレートし、自分でものを考える力は失われていくであろう。生徒の自分でものを考える力を養うには何とかして「急ぐ」方向を逆転して、ゆっくりした教育に戻さなければならないと思う。

しかしこれは不可能かも知れない。過去七〇年間の変遷の様子を眺めると、教育はつねに「急いで早くから教える」方向に進んで来たのであって、近年急にそれが目につくようになったに過ぎない。たとえば、昔私が子供であった頃、幼稚園に通う子供は稀であった。それがいつの間にか子供は皆幼稚園に通うようになった。昔中学校、高校、あるいは大学で「あの人は幼稚園に通ったからよくできる」という話は聞いたことがない。したがって皆が幼稚園に通うようになったのはそれが教育のために有効であるからではなく、教育界の「急ぐ」底流に流された結果であろう。

生物は屢々一定の方向に進化し過ぎて滅亡した。たとえばオオツノジカ(Irish elk)は角が大きくなり過ぎて滅亡したという。大きな角は仲間の雄同士の間の儀式化された闘争に際して相手を威圧するのに有利なので、角が大きい雄ほど多くの子孫を残し、益々角が大きくなった。ヨーロッパからアイルランドに移住したオオツノジカは一万数千年前、亜間氷期の木の少ない開けた草原で繁栄したが、つぎの氷期が終わり大森林が展開すると大きな角が邪魔になって絶滅したものと思われる(S. J. Gould : Ever Since Darwin, 1977, 浦本昌紀・寺田鴻訳『ダーウィン以来』、早川書房、昭和五九年、第九章参照)。つまり大きな角は短期的には仲間同士の競争に有利であったが、長期的には環境の変化に適応するのに不利で、絶滅の原因となったという訳である。

「急ぐ」教育が短期的には入試に有利であるが、長期的には自分でものを考える力の低下を招き日本の文明が衰退する、というようなことにならないことを望むのみである。

New Math 批判

近頃 new math と称して、集合論のような抽象的な数学を子供に教えることが世界的に流行してきたようである。勿論、それにはそれなりの理由があるのであろう。しかし、すべて物事にはマイナスの面がある。以下 new math のマイナスの面について話してみよう。

今から一〇年程前、未だ new math の濫觴《らんしょう》時代に、たまたま私の上の娘がアメリカでSMSG (School Mathematics Study Group) の教科書を用いる教育実験の級に編入され、私はいやでも new math の宿題を手伝わされる破目になった。その後アメリカの数学の教科書はどれも多かれ少なかれ new math を取り入れるようになったので、以来ずっと new math に悩まされ続け、最近下の娘が大学に入って、やっと宿題から解放されてホッとしたところである。だから私の new math に対する関係は宿題に悩まされる中学生のそれと似たものであって、new math のマイナス面を見るには好都合である。

まず集合論であるが、子供に無限集合は無理であるから、有限集合を教えることになる。例えば{ }なる形の括弧の間に馬と鹿と豚の絵がかいてあるものと、もう一組の括弧の間に豚と犬の絵がかいてあるものが$\cap$なる記号で結ばれていれば、答は{豚}であり、二番目の括弧の中が鳥と犬ならば、答はϕであるというようなことを教えるのであろう。子供は初めは仲々わかってくれない。しかし、ゲームと思えば、こんなことはツー・テン・ジャック等よりはるかに易しいから、その内に「分かった。何でもない」と言いだす。そして同様な宿題はすらすらできるようになる。同時に、数学というのはつまらないことを難しそうに言う変てこな馬鹿らしい学問だと考えるようになる。ついでに大学の数学の先生もこんなつまらないことを偉そうにしているらしいと軽蔑されてしまうのである。

それで、果して集合の概念がわかったかというと、それは頗る怪しいと思う。ある子供が「自分と自分の兄弟は集合ではない。何となれば自分達の周りには括弧がないから」と言ったという話がある。一対一の対応も子供にはやはりつまらないことを偉そうに言うといった印象を与えるようである。

現代の数学は集合論の影響を強く受けていて、集合論が数学の基礎であると考えるが、集合論が創まったのは一九世紀も終りに近くなってからであって、数学は集合論が創まる二〇〇〇年も前から存在していたことを忘れてはならない。殊に高校程度の数学は集合論の創まるはるか以前に完成されていたのである。進歩発展するものの典型的なものは生物であるが、生物の「個体発生は系統の進化を繰返す」ということがある。同様に、数学の教育も数学の歴史的発展の順序に従って行われるべきであろう。現代の数学では集合がもっとも基本的な概念であると考えるが、論理的に基本的な概念であることと、子供にとって初等的な概念であることは別なことである。むしろ歴史的に早く現われた概念ほど子供にとってわかり易いのであろう。集合論が一九世紀の終り近くまで現われなかったという歴史的事実が、既に集合が決して初等的な概念でないことを示していると思う。数学者は集合が基本的なわかり易い概念であると考えるが、それは多年の専門的訓練の結果であって、それを忘れて、物の数を数えるという操作は集合の一対一対応に基づいている等と言っても、子供は仲々納得してくれないのである。

　さらに、集合論は元来無限集合を考えるために創められたのであって、まず有限集合の集合論があって、それが発展して無限集合の集合論になったのではない。一対一の対応なる概念も、二つの無限集合の大小を比較するために導入されたのであろう。有限集合の大小は、その元の数を数えてみればすぐわかるから、何も、わざわざ一対一の対応を持出す必要はない。一対一の対応が重要な概念であることを理解するには、したがって一対一の対応がつかない二つの無限集合が実際に存在することを見なければならない。このためには、例えばカントールの対角線論法を用いて実数全体の集合が非可附番である(自然数全体の集合より大きい)ことを理解せねばならない。要するにカントールの対角線論法を理解しうる程度に達しなければ集合論の意義はわからないのである。だから集合論を教えるには、歴史的発展の順序にしたがって、カントールの対角線論法あたりから始めるべきであると思う。

こう考えてくると、子供に有限集合の集合論を教えて、かえって軽蔑される理由がわかると思う。有限集合論は歴史的発展の順序を無視して集合論から人工的に切離され初等的な数学の中にはめ込まれたものであって、そこには何ら必然性がないから、子供には何のために集合論を習うのかわからない。その上につまらないことを難しそうに言うだけで、何の役にたつのかもわからない。子供にすれば軽蔑したくなるのも当然であろう。

つぎに数学の公理主義を子供に教えることについて考えてみよう。現代数学の主流をなす公理主義によれば、数学の各理論体系は公理的に構成される、すなわち、いくつかの公理からすべて論理的に導き出される。そして公理は理論の前提として仮定された命題であって、その選び方は、矛盾を含まない限り全く任意である。つまりいくつかの命題を任意に選んで公理とし、それから論理的に導き出される命題を順次に並べていけば、矛盾に到達しない限り、数学の一つの理論体系ができあがると言うのである。古典的なユークリッド幾何は公理的に構成された理論体系の典型であるが、その公理は「自明な真理」であって、理論の前提として仮定された任意の命題ではない。現代数学の公理主義が確立されたのは集合論より新しく二〇世紀になってからである。

公理主義によれば公理は理論の前提として仮定された任意の命題である。しかし、私は、これは現代数学の言わば表看板であって、実際には、公理はやはり任意ではなくて、「自明の真理」ではないにしてもそれに近い性格をもっていると思う。数学をゲームにたとえれば、公理はゲームの規則に相当する。ゲームの規則はそのゲームが面白くなければ意味がない。そして意味のあるゲームの規則は囲碁、将棋、チェス等せいぜい数百種しか知られていない。任意に選ばれたゲームの規則は意味がないことを示している。数学も同様で、公理系は興味ある理論体系を導き出す生成力をもったものでなければならないが、任意に選ばれた公理系が生成力をもたないことは新しい公理系を発見しようと試みた数学者ならば誰でも知っている。生成力をもつ公理系は「自明な真理」に近い性格をもっていると思うのである。

私が子供だった頃には、中学校の数学は代数と幾何だけで、幾何は古典的なユークリッド幾何であった。そして中学生はユークリッド幾何によって自然に公理的構成の考え方を学んだ。ところが私がアメリカで見た new math 流の教科書では、代数の演算を材料として公理主義の考え方を教える。つまり代数の演算の諸法則の中から一部を抜き出して公理と考え、残りをそれから導き出して見せる。例えば $ab=ba$ と $a(b+c)=ab+ac$ を仮定して $(b+c)a=ba+ca$ を証明するといった類である。これがまた子供につまらないことをわざと難しくしているという印象を与えるようである。$ab=ba$ と $a(b+c)=ab+ac$ が公理で $(b+c)a=ba+ca$ が定理であるというのは二〇世紀の新しい考え方で、一八世紀の数学しか知らない子供に理解されないのは当然であろう。非ユークリッド幾何、非結合代数、等のように、普通の公理系と異なる公理系をもつ体系を知らなければ、公理系が任意の前提であることの意義は理解されないと思う。自明な$a(b+c)=ab+ac$を用いて同程度に自明な$(b+c)a=ba+ca$を証明して見せても子供は感心してくれない。これに反して、ユークリッド幾何では明らかに自明な公理から出発して順次に自明でない複雑な定理が証明されていく。子供にも公理的構成の意義がよくわかると思う。歴史的発展の順序から考えても、ユークリッド幾何はもっとも初等的な数学であって、子供にとってもっともわかり易い数学である。また、一八世紀およびそれ以前においては、ユークリッド幾何がただ一つの公理的に構成された理論体系であった。だから私は子供に公理的構成の考えを教える材料はユークリッド幾何に限ると思うのである。

これは私の偏見かも知れないが、new math 流の教科書には現実の子供よりも数学者の頭の中に描かれた子供、言わば公理化された子供を対象としている傾向があると思う。子供から見た数学の難易の順序は、その論理的順序よりも歴史的発展の順序によると思うのである。私が子供だった頃の数学教育は自然に歴史的発展の順序に従っていたので、集合論等の抽象的な数学も何の抵抗もなく理解できたのであった。それを歴史的発展の順序を無視して先に抽象的な数学を教えるのは子供にとっても先生にとっても時間と労力の浪費であると思う。

(『科学』一九六八年一〇月号)

数学教育を歪めるもの

文部省の良識を疑う

今から十数年前、アメリカのＳＭＳＧ (School Mathematics Study Group) に端を発したと思われる数学教育の現代化がたちまち世界的な流行となって、日本の小学校でまで集合を教えるようになった。ＳＭＳＧは、人工衛星の打ち上げでソ連に先を越されたことに刺激を受けて結成されたらしいが、最近の活動はやや下火だという。数学者と現場の教師が新しい数学教育の開発を意図して作った共同研究グループで、独自の教科書も出している。しかし、それにしても実に奇怪な現象ではないか。そもそも、数学のような基礎的な学問の初等教育に流行があるというのはまったくおかしな話である。

最近数十年間の数学の進歩には目覚しいものがあり、それに伴って数学教育も改善していかねばならないことは言うまでもない。現に大学における数学教育は、私が学生であった四〇年前のそれと比べると全面的に改変されていて、当時の教科書で現在も通用するものは、二、三の名著を除けば、殆どない。

しかし小学校、中学校程度の数学教育は、特に変えなければならない明白な欠陥がない限り、変えるべきではないと思う。外国で流行しているから日本でも、というような発想はもっての外である。SMSGの濫觴《らんしょう》時代に私の長女がアメリカのプリンストンの中学校でその教育実験の級に編入され、私は奇妙な宿題の手伝いをさせられる破目になった。おかげでSMSGの馬鹿らしさは身にしみているのである。

その教科書は実に変わっていて、バビロンの六〇進法、古代エジプトの蓮の花の形をした数字、ケーニッヒスベルクの橋の問題というような奇妙な話がいろいろ書いてあった。長女はおかげで数の計算ができない人間になったと言って、今でもSMSGを恨んでいる。医学の方では患者を実験材料に使ったら大問題になるのであろうが、SMSGの教育実験も生体実験と同様に悪辣なものであったと思う。教育実験は人間の頭脳に対する生体実験である。ただその傷痕が目に見えないから問題にならずに済んでいるのであろう。

私の長女の場合には目に見えないと言っても、数の計算ができないという明らかな傷痕が残り、バビロンの六〇進法とか古代エジプトの数字等は完全に忘れてしまったから、SMSGによるプラスは何もない訳だ。このような実験的な段階にあった数学教育の現代化を、未だその成果が不明のうちに、指導要領と検定によって全国の小・中・高校に強制した文部省の良識を疑わざるを得ない。

例えば、新薬の場合、慎重な動物実験の結果を俟ってはじめてその使用が許可され、しかも少しでも害がありそうな様子が見えるとマスコミが大騒ぎをする。数学教育の現代化と称する新教育については、それがその成果に対する見通しもなく、ただ外国で流行しているからという理由だけで全国に強制されて、既に害毒を流している様子が見えるのにも拘らず、マスコミが何も言わないのはどういう訳であろうか?

感覚的なイメージ

数学教育の現代化は、現代数学の基礎は集合論であるから、数学教育は集合から始めるべきである、というような考えに基づくのであろう。しかしここで注意しなければならないのは、基礎ということの意味である。現代数学の基礎は集合論であるというのは、数学の構造を分析していけば、結局、数学の対象はすべてその要素の集合であるということであって、物質を分析していけばすべての物質は素粒子から成り立っている、というのと同様なことである。

われわれ数学者が例えば微分幾何で平面上の曲線というとき、定義によって曲線は点の集合であるけれども、決してバラバラな点の集合を考えているのではなく、やっぱり紙の上に描いた曲線を想像しているのである。このような曲線の感覚的なイメージをもたなければ、微分幾何を理解することはできない。

微分幾何に限らずどんな数学の分野でも、数学者はその研究する数学の対象の何等かの感覚的なイメージをもっているのであって、イメージをもたなければその対象を理解できない、という意味では、集合よりもこの感覚的なイメージの方が基礎的である。イギリスの有名な音楽家サー・ドナルド・トーヴィ(Sir Donald Touvy)がある大学における講義で、次のような意味のことを述べたそうである。「ベートーヴェンの第五交響曲が四つの音からなるフィギュアーに基づいていると主張することを、法律によって禁止したならば、作曲の教育と音楽の理解が大いに高められるであろう。メロディーは大局的な音楽的対象であって、フィギュアーに分解されるが、フィギュアーから出て来るものではない。」

要するに、第五交響曲を第五交響曲たらしめているものは全体のパターンであって、それを構成するフィギュアーではない、と言っているのであろう。数学も同様であって、例えば曲線もバラバラに分解すれば点の集合になってしまうが、曲線を曲線たらしめているものはそれを構成している点ではなく、曲線全体のパターンである。数学を理解するには、その対象の大局的なパターンを感覚的に把握しなければならない。さらに数学の一つの分野の理論体系を理解するには、その体系全体のパターンを感覚的に把握しなければならない。

現代数学の基礎が集合論であるというのは、現代数学のほんの一面に過ぎない。不幸にして現代数学は、その対象の感覚的なイメージを直接厳密に表現する方法をもたない。それで、例えば、曲線はいくつかの条件を満たす点の集合と定義することになるのであろう。

極言すれば、集合論は現代数学を厳密に記述するための基礎に過ぎない。この意味の基礎を数学教育の基礎と錯覚した所に、数学教育現代化の根本的な誤りがある。分析した結果としての基礎と、教育の出発点としての基礎は根本的に異なる。同じ論法を物理学に適用すれば、物質を分析していけばすべての物質は素粒子から成り立っている。ゆえに物理の教育は素粒子論から始めるべきである、ということになる。素粒子論は明らかに難し過ぎるが、集合論は一見易しく見える。これが間違いのもとであったと思う。

歴史的発展を無視

私は数学の教育は、数学の歴史的発展の順序に従って行うべきであると思う。進歩発展するものの典型は生物であるが、生物の個体の発生はその系統の発生を繰返すという。数学の教育も同様であって、論理的に基礎的な概念よりも歴史的に早く現われた概念ほど子供にとってわかり易い。

この順序を逆にして、歴史的に遅く現われた分野を子供に教えようとすれば、その分野の本質的な部分は子供に理解できないので、結局非本質的なつまらない部分を教えることになる。そしてつまらないことに多大の時間を費やして大事なことを教える時間が減り、数学教育が全体として非能率的になる。高等学校までに教え得る数学はせいぜい一七世紀の後半にはじまって一八世紀に発展した微積分学までであろう。集合論は一九世紀の終りに近くなってカントールがはじめたものであって、その目的は無限集合を扱うことにあった。集合論の意義は少なくとも対角線論法によって実数全体の集合が、自然数全体の集合よりも大きいことを理解する所までいかなければわからないと思う。

従って、この集合論を小学生に教えようというのはとんでもない間違いである。もちろん小学生には対角線論法も実数もわからないから、集合論のもっともつまらない、どうでもよい部分を教えることになる。小学生に教える集合論は決して難しくはないが、それは集合論の最もつまらない部分だからであって、それがわかっても集合論がわかったことにはならない。教わる小学生も教える先生も何故こんなつまらないことをやらなければならないのか、理解に苦しむであろう。

現行の指導要領には、集合論以外にも歴史的発展の順序を無視して無理に導入された分野がいくつかある。例えば中学校の三年で位相幾何を教えることになっていて、指導要領によれば、平面上の単一閉曲線はその平面を二つの部分に分ける、という有名なジョルダンの定理を理解させることになっている。これは一般にジョルダンの定理は証明は難しいが、直観的には自明であると思われているからであろう。しかし直観的に自明なのは円周とか凸多角形とかいうような簡単な形の図形の場合に限るのであって、一般の場合には全然自明でない。

このことは『サイエンス』四月号のベラ・ジュレッ (Bela Julesz) の論文にある次の図に

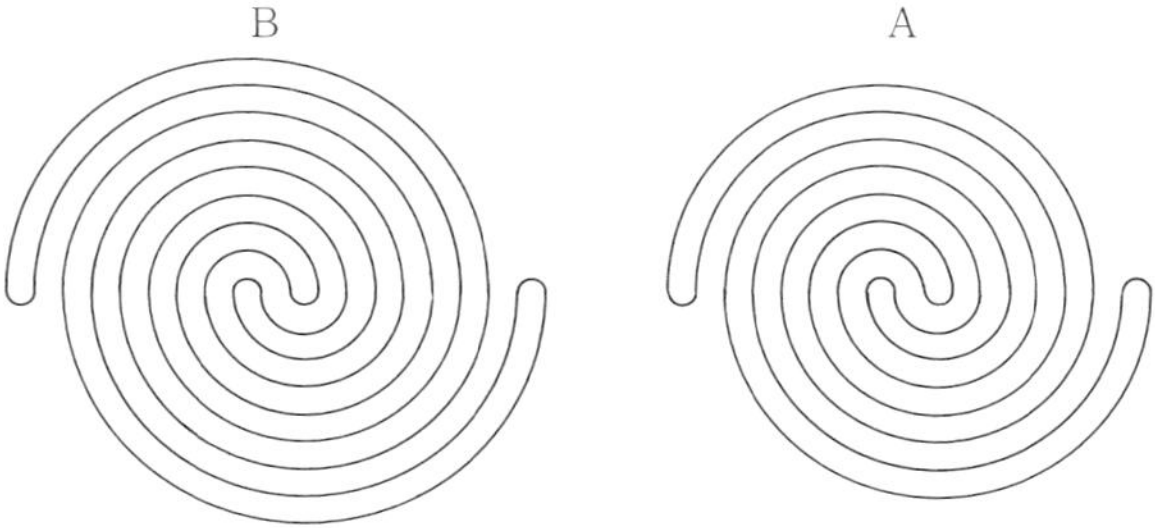

よって劇的に示されている。図の二つの曲線AとBは直観的には位相的に同じように見えるが、Aは単一閉曲線で平面を二つの部分に分け、Bは単一閉曲線でなく平面を三つの部分に分けている！　このように直観的にも論理的にも難しい定理を、一体どうやって中学生に理解させようというのであろうか？　円周と凸多角形のような簡単な図形の場合だけ理解させればよい、というかも知れないが、それでは指導要領のいう位相的な見方を理解させたことにならない。多角形が凸であるという性質は計量的な性質で位相的な性質ではない。指導要領のこの部分は明らかに誤解に基づいている。しかも文部省はこのような明らかな指導要領の誤りも訂正する意志は毛頭ないようである。誠に困ったことである。

計算技術の訓練が重要

近頃初等教育で子供の創意を生かすということが盛んに言われているようである。私は当時としては最も進歩的な教育者伊藤長七先生が校長をされていた府立第五中学校(現小石川高校)に学んで、大いに創意を生かす教育を受けたことを深く感謝しているものであって、決して頑迷な保守主義者ではない。

しかし初等教育の第一義は、何よりもまず大人の真似をすることを教えることにあると思う。例えば、母親が幼児に言葉を教えるとき、同じことを何度でも繰返して、大人と同じ発音で、同じようにしゃべることを教えるのであって、ここで幼児が創意を発揮して、自分で勝手な言葉を発明したのではははなはだ困る。このような理屈抜きの機械的な訓練が、初等教育の最も重要な部分を占めているのではなかろうか？

例えばピアノ、あるいはヴァイオリンを練習するとき、基本的なのはスケールとアルペジオであるという。およそ世の中にスケールとアルペジオの練習ほど機械的で退屈なものはないが、しかしこれを怠っていては一人前のピアニスト、ヴァイオリニストになれないということである。近頃、子供の創意を生かして楽しく学ばせることに重点を置くあまり、基本的な機械的訓練をないがしろにする傾きがあるのではなかろうか？　音楽にせよ、絵画にせよ、すべて技術といわれるものを修得するには機械的訓練が不可欠である。

一般に数学は厳密な論理によって構成された学問であって、論理と同じではないとしても大体同じようなものである、と思われているが、私の見る所では、数学は高度に感覚的技術的な学問であって、数学を修得するには技術的な訓練が不可欠である。大学の数学科に入ると演習という時間があって、問題を解く訓練を受けるのはこのためである。数学における技術で基本的なのは計算の技術であって、その基礎となるのが小学校の算数で学ぶ数の計算である。

数の計算を教えるにはその原理を理解させなければならないが、技術というものは不思議なもので、原理を理解しただけでは駄目である。例えばピアノ演奏の原理は実に簡単で、音符に対応するキイを指で押せば音が出る。強く押せば強い音が、弱く押せば弱い音が出る。それだけのものであって誰にでもわかる。しかし実際にピアノを演奏するには、多年に亙る技術的訓練、しかもスケールとアルペジオという機械的な訓練が必要である。

数の計算も同様であって、計算が自由に出来るようにするには、同じような計算問題を繰返しやらせる機械的技術的な訓練が不可欠である。小学校の算数で最も重要なのはこの計算の技術の訓練である。

電卓は文明を亡ぼす

最近、小学生に電卓を使わせることにして、数の計算の練習を止めさせようという動きがあると聞く。計算の練習のような機械的でつまらないことはやめて、その代りにもっと大切な数学的なものの考え方を教えようというのであろう。とんでもないことである。

そもそも計算を抜きにした、数学的なものの考え方があると考えるのがおかしな話である。小学校で学ぶ数の計算は、中学校で学ぶ代数的な式の計算、高等学校で学ぶ微積分の計算の基礎となるものであって、計算の練習を通して、いつの間にか自然に数学的な考え方を学ぶのである。式の計算は数の計算を抽象したものであるから、数の計算を十分にこなしていなければ式の計算はわからない。

すべて技術と言われるものには、例えばピアノ、ヴァイオリンの演奏にはスケールとアルペジオの練習が不可欠である、というような理外の理とでもいうべき不思議な所がある。この理外の理は多年の経験に基づく古人の知恵であって、浅薄な理屈によってこれを変えるのは極めて危険である。

昔から、読み書きそろばん、と言われているように、読み方、書き方、計算の仕方を教えるのが初等教育の基本である。これが古人の知恵であって、特に変えなければならない明白な理由がない限り、これに従うのが賢明であろう。電卓でわけなくできるから数の計算を練習させなくてもよかろう、という浅はかな考えはもっての外である。

何事にもそれを学ぶ適齢期がある。周知のように、ピアノ、ヴァイオリン等は七、八歳までに始めなければ一人前に弾けるようにならない。電卓の使用法は大人になってからでも直ぐに覚えられるが、数の計算は子供のときに練習しておかなければ駄目である。小学生に計算の練習をやらせないで、代りに電卓をもたせるのは、その小学生を一生片輪にする罪なことだと思う。さらにまた数の計算に習熟していなければ、電卓の設計はできないことに留意すべきである。現在電卓がどんどん改良されているのは、数の計算に習熟した人が知恵をしぼっているからであろう。

日本中の小学校に電卓を導入した結果、数の計算に習熟した人が一人もいなくなった未来の日本を想像してみよう。この世界では誰も数の計算ができないから、電卓を設計することはおろか、故障した電卓を修理することさえできない。ウエルズのタイム・マシンにでてくる未来の世界のように、ただ昔の人が製造した電卓を使って暮しているだけになる。故障した電卓の個数が増すに従って経済活動は縮小し、遂には日本の文明は亡びてしまう。小学校への電卓の導入は正に人間を機械の奴隷にすることに他ならないと思う。

(『文藝春秋』一九七五年八月号)

不可解な日本の数学教育

私は数学以外のことは何も知らない単純な数学者で、殊に経済のことは全然わからないが、聞く所によると、日本の経済は高度成長から低成長に移行しているという。高度成長というのは年一〇%以上、低成長というのは年六%程度の成長のことらしい。そして不況に陥らないためには年六%の成長はどうしても必要であるという。

終戦直後の混乱期は除いて、昭和二四年から四九年まで二五年間年一〇%成長したとすると、総計 $(1.1)^{25}=10.83$ つまり約一〇倍に成長したことになる。そう思って見れば、山手線、東海道線等の旅客輸送量、自動車の台数、石油の使用量、新聞のページ数等、すべて現状は昭和二四年の一〇倍以上になっているようである。

そこで、今後年六%の安定成長が続くとして、私の孫が私の年齢になる頃、つまり六〇年後にはどうなるか考えて見ると、$(1.06)^{60}=32.99$ であるから、現状の三〇倍以上に成長することになる。東京—大阪間には新新幹線、新新新幹線等、三〇本の新幹線が増設され、山手線は横に拡張できないから地上・地下合せて三〇階となり、毎日五〇〇ページの新聞が配達され、……。これは勿論不可能であるから、量的な成長から質的な成長に転換して行かなければならないが、それは科学・技術の発展による他ない。科学・技術の基礎は数学であるから、数学教育は日本の産業の将来にとって致命的な重要性をもつ。以下日本の数学教育の現状について述べてみたい。

現行の文部省の指導要領に基づく小学校・中学校・高等学校の教科書を見ると、まず、その内容が、数学の実に多くの分野に亙《わた》っているので呆れるのである。小学校から集合・確率があり、中学校では基本的な代数、幾何以外に集合、確率、統計、位相幾何があり、高等学校では代数、幾何、微積分以外にベクトル、写像、集合、論理、行列、平面幾何の公理的構成、確率、統計がある。限られた時間でこれだけ多くの分野を教えるのであるから、各分野は必然的にそのほんの入門程度に限られてしまう。

例えば、子供に音楽を教えるのに、オーケストラのあらゆる楽器を少しずつ習わせるというような馬鹿なことは誰も考えない。そんなことをすれば、どの楽器も弾けるようにならず、結局音楽そのものもわからなくなってしまう。

また、例えば、子供に外国語を教えるのに、英語、独語、仏語、ロシヤ語、ラテン語、ヘブライ語、アラビア語等の多数の外国語を少しずつ教える、などということはしない。

数学の初等教育で多くの分野を少しずつ教えるのは、音楽であらゆる楽器を習わせ、また、多数の外国語を少しずつ教えるのと同様に馬鹿なことであるが、何故数学の場合に限ってこのことに誰も気付かないのであろうか？　しかも、スパイラル方式とか称して、たとえば、確率を小学校六年で一寸《ちょっと》教え、中学校二年で少し教え、高校の一年と二年でまた少しずつ教える。ちょうど、例えば、ラテン語を小学校六年で数週間、中学校二年で数週間、高校一年と三年でまた数週間ずつ教えるようなもので、最も非効率的な教育法である。指導要領を作成なさった委員の方々は、人間は数週間、それも週数時間程度習ったことは一年も経てば完全に忘れてしまう、という事実をお忘れになったのであろうか？

奇妙なのは、小・中・高校で教える多数の分野の中には集合、論理、位相幾何、等、将来数学者になる生徒以外には不要なものが混入していることである。集合を小学校から教えるようになったのは、現代数学の基礎は集合論であるから、数学教育も集合から始めるべきである、というい わゆる数学教育の現代化の考えによるのであろう。

しかし、数学の基礎が集合論であるというのは、二〇〇〇年の昔から現在まで生成発展してきた数学を現段階において集大成して、その構造を分析し、一つの体系として記述するための基礎が集合論であるという意味であって、生成発展の基礎が集合論であるという意味ではない。子供に数学を教えるということは、子供の数学的能力を生成発展させることであるから、数学の初等教育は数学の歴史的発展の順序に従って行うべきである。論理的に基礎的な概念よりも、歴史的に早く現われた概念の方が、子供にとってわかり易いのである。高校の終りまでに本式に教え得る数学は、せいぜい一七世紀の後半にはじまって一八世紀に発展した微積分学の初歩まででであろう。集合論は一九世紀の後半に実数全体の集合というような無限集合を扱うために、カントールが創めたものである。

この歴史的順序を逆転して小・中学生に集合を教えても、集合論の本質的な部分は子供には難し過ぎるから、非本質的なつまらない部分、いわば集合論の玩具を教えることになる。その結果、玩具の数学のために時間とエネルギーを浪費して、本物の数学をおろそかにすることになる。

数学は文字通り数の学問であって、その基礎は何よりもまず数の計算である。初等教育において最も大切なことは、子供の時に習得しておかなければ、大人になってからではどうしても覚えられない基礎的学力と、大人になってから習えば簡単に覚えられる技能をはっきり区別して、基礎的学力の訓練に重点を置くことである(数学に限らず、初等教育全般に亙って、この最も大切なことが忘れられているようである。聞く所によると小学校から家庭科まであって、男の子に目玉焼の作り方を教えたりしているそうであるが、目玉焼位、大人になれば誰でもできるのであって、何も学校で改めて教える必要はないはずである。このようなことに時間を浪費して、基礎学力の低下をまねいているのは実に不可解な現象である)。

数の計算は子供の時に繰返し練習して、習得しておかなければ大人になってからではどうしても覚えられないが、数学者が常識として必要な程度の集合論は、大学に入ってから二時間も講義を聴けばすぐに覚えられる。この点から見ても小・中学生に集合を教えるのは誤りであろう。小学校の算数では、何よりもまず繰返し数の計算の練習をさせて、数学の基礎学力を養うべきである。

現代化を推進する人達は小学校で集合論を教えているのではなく、集合によって現代的な数学の考え方を指導しているのだ、というが、数学的思考力の基礎をなす数の計算とは別な、何か高尚な数学的考え方というものがあると思うのは数学の本質に対する誤解であろう。

聞く所によれば、中学一年生の一割は簡単な分数の足し算もできないという。いくら集合を教えても、分数の足し算もできないのでは何にもならないではないか。集合を教えることによって数学的考え方が養われるものならば、分数の足し算位わけなくできるはずである。それがそうならないという事実が、現代化の考えが誤りであることを証明している。集合論が数学者以外に不要であることは、現在第一線で活躍している自然科学者、エンジニアが、集合論を一度も習ったことがない人達であることを見れば、明らかである。

論理は数学の文法のようなものである。われわれが文章を書くときの文法は、多年文章を読んだり書いたりしているうちに自然に体得したものであって、決して昔、中学校で学んだ国文法ではない。だから、自由自在に活用できるのである。このことは、いくら英文法を勉強しても英語を自由に書けるようにならないことを見れば、明らかである。

数学における論理も同様で、われわれ数学者は数学を学んでいるうちに、自然に論理を体得したのであって、数理論理学の専門家を除けば、改めて論理を学んだことは一度もない。現行の指導要領によれば高校一年で論理を教えることになっているが、数学者も学んだことのない論理を何故高校生に教えるのか、これまた不可解である。

数学の初等教育の目的は数学のいろいろな分野の断片的な知識を詰め込むことではなく、数学的思考力、数学的感性を養うことにある。このためには範囲を数学の最も基本的な分野に限って、それを徹底的に教えるべきである。小学校では数の計算を、中学校では代数と幾何を、高校では代数、幾何と微積分の初歩を、自由自在に使いこなせるようになるまで徹底的に教えることができれば、初等教育としては大成功である。

確率、統計等の応用的分野は必要なときに勉強すれば、大人になってからでも覚えられるものであって、そのときには生半可な入門的知識よりも基本的分野の学習で養った強靱な思考力、鋭い感性の方がはるかに役に立つのである。小学生に確率の片鱗を教える等、以ての外である。数学教育の現代化を推進する人達は現代数学の目覚しい進歩に沿って、数学教育も新しくして行かなければならないというが、進歩しているのは数学の最先端であって、数学の基本は少しも変わっていない。数学を研究している現役の数学者は、私の知る限り、皆現代化に反対である。それにも拘らず、現代化が数学教育界の流行となっているのは不可解な現象である。

どうしても子供のときに習得しておかなければならない基本的な分野、大人になってからでも覚えられる応用的な分野、数学者以外には不要な分野を、ごちゃまぜにして小学校から教えている日本の数学教育の奇怪な現状はただもう不可解という他ない。一体誰のため、そして何のためにこのように多くの分野をあわただしく教えるのであろうか？　日本の将来の科学・技術の基礎をなす数学の初等教育が、この有様では、通産省が如何に努力されても、日本の産業の将来はおぼつかないのではないかと思う。

（『通産ジャーナル』、一九七六年四月号）

Ⅲ

思い出すことなど

昭和一〇年に私が東大の数学科に入学した頃、数学科の学生の定員は一五名であった。講座は僅か五講座、教授が高木先生、中川先生、掛谷先生、竹内先生、末綱先生、助教授が辻先生と弥永先生、講師が田中穣先生、助手が亀谷さんただ一人、あとは小使のおじさんとおばさんが一人ずつ、事務職員は一人もいなかった。そして亀谷さんが図書係を兼ねておられた。事務職員が一人もいなかった所を見ると数学教室の事務的な仕事は殆どなかったのであろう。先生方も皆悠然として閑そうに見えた。そして大学院は院生がたむろする部屋が一つあるだけで大学院のための講義やゼミは一つもなかった。年限も無制限で、修士論文とか課程博士などというものもなかった。何か思い付けば論文を書く。思い付かなければ何にも書かなくても一向差支えなかったと思う。現在学部学生の定員は三倍の四五名に増えているが、事務職員の人数0は三倍しても0である。何故こんなに事務的な仕事が増えたか、実に不思議である。

＊　＊　＊

教官の人数が少なかったので講義の数も少なかった。必修科目はあったが、単位を数えるなどということはなかった。われわれ一年生のための講義は高木先生の微分積分学、末綱先生の代数学、中川先生の幾何学、等であった。現在のアートコーヒーの所に一軒建ての理学部の比較的大きな教室があって、高木先生の講義はその教室で週四回一一時半から行われた。微分積分学は物理の学生も聴講することになっていた。物理は朝からその教室で他の講義があったので、われわれが一一時過ぎに教室に行っても前の方の席は全部物理の学生に占領されていた。高木先生は声も小さく黒板の字も薄かったので後の方に坐ったのではよく聞えないし見えない。幸にして講義の内容は先生が当時の岩波数学講座に執筆された『解析概論』とほぼ同じであった。先生が黒板に向って式を書いておられるときの後姿の巨大な耳が印象的であった。時間割では微分積分学は一一時から一二時までとなっていたが、高木先生が数学教室に到着されるのが一一時一〇分頃、それから先生は小使室で悠然とお茶を飲んでおられた。こわくはなかったが何か近寄り難い風格があった。講義がはじまるのが一一時半、終わるのは時間割通り一二時きっかりであった。正味三〇分、週四回で二時間、それで一年間で解析概論の終り(現行本のルベッグ積分は除いて)まで済まされたのだから驚異である。

微分積分学の演習は弥永先生の受け持ちであった。どんな演習問題であったか全然記憶にないが、先生がわれわれ学生のノートをのぞき込むようにして「できませんか?」と言われたのはよく覚えている。岩波講座に彌永昌吉著『幾何学基礎論』があった。大学に入る前このいかめしい名前の著者の難しそうな本から弥永先生というのはがっちりしたいかめしい先生であろうと想像していたのであるが、実際は当時有名だった映画『別れの曲』のショパンに似た背の高いやさしい先生であったのは意外であった。

代数学の一時間目のはじめに末綱先生は黒板に大きな円に一寸《ちょっと》ひげが生えたような図を描かれた。これが何と体を表わすドイツ文字の$\mathfrak{K}$であった。代数学の演習は末綱先生自ら受け持たれた。この演習はこわかった。指名されたときはじめから「できません」と断ってしまえば何でもないが、黒板に出て問題を解きはじめて途中でつかえると「何をぐずぐずしているんです」とひどく叱られた。教室に紙屑一つ落ちていても御機嫌斜めであった。代数学の年度末試験の日に二・二六事件が起こって試験が中止になったのでわれわれは嬉しくなって皆で上野の動物園に行った。何故かそれ以来しばしば動物園に行ったような記憶がある。

数学がまだ現在のように発達していなかったから、現在では考えられないような科目が必修であった。その一つが中川先生の幾何学であった。先生は確かサーモン(Salmon)の『解析幾何』という古色蒼然とした教科書を各学生に一冊ずつ貸して下さった。かなり厚い本で三〇〇ページはあったと思う。内容は三次元ユークリッド空間の中の二次曲面の理論で、二次曲面だけについて三〇〇ページも書くことがあったというのが不思議である。その上に実に多数の難しい演習問題が載っていた。それを幾何の演習でやらされた訳である。一番よくやってきたのは大西君であった。私は屢々《しばしば》サボったが、サボると中川先生はそれを覚えておられてつぎに出席したとき必ず当てられるのには閉口した。このような幾何学は今ではほとんどすべて忘れられてしまった。現在われわれが研究している数学も一〇〇年後には大部分は忘れられてしまうのであろう。

それから力学演習というのが必修であった。演習があった以上は力学の講義があった筈《はず》であるが、講義については全然記憶がない。力学演習の受け持ちは犬井先生、一時から五―六時迄という大変なものであった。一時過ぎに先生が現われて黒板に問題を書いてしばらくすると何処かに行かれる。その後われわれ学生が問題を解くわけであるが、一寸やそっと考えて解けるような代物《しろもの》ではない。そこでわれわれも一寸休憩ということで第二食堂へ行ってアイスクリームをなめたりした。教室に帰って四時頃になると先生が帰って来られて解答を説明される。終わるのは五時か六時であった。力学演習は難行苦行であったが必修科目だったから逃れるすべはなかった。

一学年一五名と人数が少なかったからわれわれは直きに親しくなった。

二年生になったとき一年に安倍亮君が入学された。安倍君は一年前に物理学科を受験したとき、健康上の理由で入学は許可されなかったが入試の成績は平均九六点であったという超人で、およそ知らないことは何もないという博識であった。私は後に物理学科の助教授になってから過去の入試の成績を見る機会があったが、例年最高点は七〇点台で、九六点というのは空前絶後であった。われわれは同君ともたちまち同級生のように親しくなった。

安倍君の物識り振りを一寸紹介すると、一緒に散歩に行けば道端に生えている草花の名前を全部教えてくれる、映画を見に行けば画面に現われた建築物が何世紀のどういうスタイルか説明してくれる、という調子であった。ピアノが上手で音楽理論にも詳しかった。ある日みんなで第二食堂へアイスクリームを食べに行ったとき、物識りを以て任ずる同級生の中村秀雄君が『神皇正統記』を暗唱して見せたが途中でつかえてしまった。伊藤清さんがそのあとを続けたがまたつかえた。そうしたら安倍君がそのあとを続けた。それ以来中村君は自称物識り、安倍君は本物の物識りということになった。

当時のわれわれは現在の数学科の学生に比べて随分のんびりしていたと思う。卒業に必要な課目の数は三年間で一二―一三であった。数学が今ほど発展していなかったから専門分野の種類も少なく、本の数も極めて少なかった。たとえばトポロジーの本といえばケレキャルト(Kerékjarto)の『Topologie』、ザイフェルト－トレルファル(Seifert-Threlfall)の『Lehrbuch der Topologie』、アレクサンドロフ－ホップ(Alexandroff-Hopf)の『Topologie』の三冊位なもので、アレクサンドロフ－ホップの本を読んだだけでトポロジーの論文を書くことができた。複素多様体論、位相微分幾何、等という数学は未だ存在しなかった。日本語の数学の本は神田の三省堂に行けば一つの棚に全部並んでいたと思う。本郷通りも空いていて何処でも自由に横断できた。赤門から本郷三丁目に行く途中に青木堂という古ぼけた喫茶店があった。これが漱石の『三四郎』に出てくる青木堂であろうと想像していた。

二年生のときの講義は掛谷先生の微分方程式、竹内先生の関数論、等であった。竹内端三先生の関数論は、リーマンの写像定理の証明など、講義を聴いているだけで完全にわかってしまうのでノートをとるのを忘れるという名講義であった。

三年のゼミ(現在の四年のゼミに相当する)は弥永先生についた。不思議なことにゼミで何をやったか思い出せない。ゼミをやっている情景が全然頭に浮んでこないのである。弥永先生によると私はゼミでアレクサンドロフ－ホップの『Topologie I』を読んだそうである。夏休みにアレクサンドロフ－ホップの『Topologie』を懸命に読んだことはよく覚えているが、それがゼミのためであったという記憶が全然ない。当時は三年のゼミでトポロジーをやったから、それで専攻分野がトポロジーに定まるというようなことがなかったからであろう。近頃は早く専攻分野を定めて急いで論文を書かないと数学者としてやって行けないようであるが、当時はそんなことはなかった。私の専攻分野が複素多様体論とはっきり定まったのは三四―三五歳の頃であった。

私は数学科を卒業してから普通に入試を受けて物理学科に入学した。入試には私の最も苦手とする化学があった。到底できそうもなかったので物理学科の主任の寺沢先生のオフィスに行って「化学ができないのですけれど」と伺ったら先生曰く「物理学科の入試では化学の成績には余りウェイトを置かないから化学が0点でも入れますよ」と。それで安心して物理を一ヵ月ほど勉強して受験した。当時の東大の理論物理は物理数学的な色彩が強く、必修科目のいくつかは数学であって、量子力学にしても相対論にしても物理学科の学生が苦労するのはその数学的部分であった。したがって数学科の卒業生にとっては物理学科は楽であった。その上いくつかの科目は担当の先生にお願いして試験を免除して戴いた。講義が終わった後、教室で先生に「試験を免除して下さい」とお願いすると「ええ、いいでしょう」とその場で承諾された。今考えると、どうして教室会議にも教授会にも諮らずに独断で免除できたか、そして試験を免除した学生の成績をどうつけたか、不思議である。ただし物理数学演習というのが数学科のときの力学演習と同様な苦行であった。当時お天気博士と言われて有名であった藤原先生の気象学の講義を聴きにいった。一時間目のはじめに先生がのんびりした口調で「一学期にはつまらない話をします。二学期になって聴講する学生の数が減ったら少しおもしろい話をします」と言われた。私は呆れ返って一回で止めてしまった。天文の萩原先生の講義を聴いたが、物凄いスピードでさっぱりわからなかった。講義が済んで小使室でお茶を飲んでいると先生もお茶を飲みに来られて「どうだ、君。わからなかったろう」と大得意であった。これで講義は必ずしも学生にわからせるためにあるのではないと悟った。

こんなことをしているうちに三年生になった。三年のゼミは坂井卓三先生について場の理論を勉強した。同時に数学の論文を書いていた。物理学科は随分閑であったのであろう。当時数学会と物理学会は一緒で Physico-Mathematical Society of Japan と称した。そのプロシーディングは予算が十分あったのか、投稿者の数が少なかったのか、私が投稿したハール測度に関するかなり長い論文が数カ月で印刷になった。レフェリーなどというものはなかったのかも知れない。

私は物理学科を卒業すると物理学科の嘱託になって講義をした。何を講義したか全然記憶にないが、他に何にもできないから物理数学であったのであろう。初めて教壇に立って黒い制服を着た学生達を眺めたとき頗《すこぶ》る妙な気がしたことはよく覚えている。一年半程後に文理大の数学科の助教授になり、さらに二年程経って東大の物理学科の助教授になった。物理の論文が一つもないのに何故物理学科の助教授に採用されたか、今考えると実に不思議である。物理では当然物理数学の担当であった。一度相対論の講義をしたことがある。それは戦争がはげしくなって授業時間が短縮されることになり、相対論を三―四週間で講義しなければならないことになったときであった。ワイルの『空間・時間・物質(Raum-Zeit-Materie)』を勉強して明晰判明にわかったと思ったので、それを整理して三―四週間で講義した。われながら実に鮮やかにできたと思ったのであるが、今から一〇年程前に『空間・時間・物質』を読み返して見たらよくわからなかった。鮮やかにできたと思ったのが錯覚であったかも知れないが、その講義のノートが残っているならば見たいものである。

東京の空襲が次第に激しくなって来て空襲警報のサイレンが鳴ると物理教室の地下室に避難するようになったが、私の考えはなるほど統計的には地下室の方が地上より安全かも知れないが、私個人の安全とは無関係であろうというのであった。透明な青空の一万メートルの上空を編隊をなして飛ぶ銀色に輝くB29は実に美しかった。薄暗い地下に避難しているわれわれと同じ人間の仕業とは到底考えられなかった。何か宇宙人にでも攻撃されているような感じで一向敵愾心《てきがいしん》が沸かなかった。

しかしサイレンが鳴るごとに地下にもぐっていたのではろくに授業もできない。何とかして物理教室を地方に疎開したいものだと思い父に相談したら、疎開したいならば、疎開先は世話をしてくれるという。そこでつぎの教室の会食で「物理教室を田舎に疎開したらよいと思うのですが」といったら、「疎開先はありますか」という。「疎開先は父が世話してくれるといっています」というと、「それでは疎開しましょう」とたちまち衆議一決してしまった。これには驚いた。こんな大問題がそう簡単に決まるとは夢にも思わなかったので気軽に提案したのであったが、決まった以上は私が責任をもって疎開しなければならない。その上に数学科も疎開に合流することになった。困ったことに私の事務能力はゼロである。仕方がないから疎開先の村役場、教室を貸してくれる小学校、等との交渉はすべて父に頼んで私のしたことは父の指示通りに村長さん、小学校の校長先生等に挨拶に行っただけであった。要するに何にもしなかったのであるが、あいつ何もできないような顔をしているがやらせれば結構できるではないか、という印象を与えたようで、これが後年理学部長に選任された一因をなしたらしい。私は生れ付き怠けものである。『Life』のNature Libraryで南米に住むsloth（ナマケモノ）という動物は徹底的に怠ける――木の枝にぶら下ってじっとして動かないで体に苔が生えて植物と区別がつかなくなるまで怠けることによって生き残ることに成功したmegatheriumの唯一の子孫であるという話を読んで、これこそ私の理想である！と感激した程の怠けものであって、およそ「長」と名がつくものは大嫌いである。それが学部長に選任されてしまったのは因果応報というものであろう。

疎開して空襲からは逃れたが食糧難には参ってしまった。食糧事情は田舎の方が東京よりましであろうと漠然と考えていたのが全く見込み違いであった。経験のない人には絶対にわからないが、食べるものがないというのは実に惨めなものである。それにも拘らず皆よく勉強した。この疎開したクラスから優秀な数学者が輩出したことから見ても、生活環境と学問とはあまり相関関係はないようである。

疎開した年の八月に終戦になった。必勝であるといっていた戦争に負けても別に何の騒ぎも起らなかった。皆内心必敗と思っていたのであろう。

東京に帰っても食糧難は相変わらずであったが学生はよく勉強した。そしてよくできた。年度末の試験のときあらゆる智恵をしぼって難問を出しても満点をとる人が必ず何人かいた。研究室の机の引き出しにどういうわけかレモンが一個入っていた。青かびが生えていたが香りは変わらない。当時レモンは貴重品であった。できるだけ薄く切ったかびの生えたレモンを入れた紅茶をすすりながら夜の八時頃までゼミを続けた。もちろん夕食抜きである。ろくに食べるものも食べないで皆どうしてあんなにエネルギーがあったのか、不思議である。

私は相変わらず物理学科の助教授で数学の論文を書いていた。旧制大学の助教授は戦後も閑であったのであろう。雑用も委員会も殆どなかったと思う。物理は量子力学の基礎、場の理論、ハイゼンベルグ(Heisenberg)のS行列の理論、等を勉強した。ハイゼンベルグは「物理の理論は直接観測可能な量だけを用いて組立てるべきである」という哲学に基づいてS行列の理論を提案した。頗る魅力的な提案であった。私はこのS行列について岩波の『科学』に小論を書いたことがある。このように数学の専門も決めず物理も勉強できたのは旧制大学ののんびりした雰囲気のお蔭であったと思う。もう一度大学の雰囲気をこういうのんびりしたものに戻したいものであるが、それは不可能であろう。私は後にアメリカに移住したが、是非日本に帰って欲しいという要望もあり、私自身もそろそろ帰りたくなって、一八年目に日本に帰ったが、私が帰りたかったのは戦争がはじまる以前ののんびりした日本、もう何処にも存在しない日本であった。

(『マテマティクス』一九八〇年一月号)

回顧と……

一九七四年一一月三〇日の東大数学教室
における秋季大談話会での談話

「回顧と……」の後半が「……」になっています。先例にならいまして「回顧と展望」という題にしたかったのですけれども、すでに「回顧」がだいぶ怪しい(笑)。私はどうも物覚えが悪くてじきに忘れてしまいます。それも忘れるだけならばよいけれど、間違えて覚えている(笑)。今度岩波書店から私の論文集が出ることになりまして、その序文をベイリーさん(W. L. Baily, Chicago Univ. 教授)にお願いしました。ベイリーさんが序文の原稿ができたから一度目を通してほしいといわれるので、読んで見ましたところ、どうも二、三カ所間違えている。訂正しようと思って念のため別刷をひっぱりだして調べてみたら、私の方が間違えていました。ですから、この「回顧」がすでに怪しいので、「回顧?」と「?」が付く。展望の方はもちろん「……」。そもそも未来というのは予想できないから未来なので、予想できれば現在になってしまいます。

自分自身のことを考えてみましても予想しなかったことばかりおこってきました。まず第一が数学者になったこと。中学生の頃はエンジニアーになろうと思っていました。論文を書いて暮らす数学者という職業があるということは知りませんでした。高等学校——昔の一高だから今の駒場ですが——そのころは、高等学校の先生というのはえらくのんびりして楽しそうに見えたので、高等学校の先生になろうと思っていました。大学に入るとき物理にしようか数学にしようかとだいぶ迷ったのですが、物理の方は入試に化学があったので、それじゃ数学にしようと——まあ数学はなんとかなったけれども数学以外の学問は全部駄目、ことに化学は歯が立たなかったので、結局数学科に入って数学者になってしまいました。

もう一つ、アメリカで一八年暮らすことになろうとは夢にも考えませんでした。戦争がなかったらずっと日本で楽しく暮らしていただろうと思います。学生の頃、辻先生がドイツに行かれたと聞いて、なんで言葉のわからない外国に行って苦労するのだろう、自分は絶対に行くまいと決心したのですが、戦争で日本は食べる物もないという惨めな状態になってしまいまして、そこへワイル(Weyl)から招待状がきたので、たちまち決心を翻してアメリカへ行きました。

それからもう一つ全然予想しなかったのは、このあいだ理学部長にされちゃったことです(笑)。そんな約束じゃなかったはずなのです。日本に帰るときには、雑用はしなくていいという約束をした覚えがあるのですが(笑)、日本では契約という観念がはっきりしないらしくて、約束違反で学部長にされまして……。ですから「展望」の方は、自分のことでさえ将来は全然わからないので、まして数学の将来などわかるはずがない……。

私が学生だった頃は今とだいぶ様子が違いまして、数学科の学生の数も一学年一五名、学部が主で、大学院は部屋が一つあるだけで講義もゼミも何にもなかった。学部の三年になるとゼミがありまして、私は弥永先生についてゼミをやったところまでは覚えていますが、何をやったか全然思いだせない……ゼミをやっている情景が頭に浮んでこないので(笑)。とも角その頃は関数解析全盛という感じで、みんな関数解析をやっていました。バナッハ空間とかヒルベルト空間とか。フォン・ノイマン(von Neumann)が最も有名で盛んにヒルベルト空間の論文を書く。ですから私もそういう方面をやっていました。代数幾何などというのはほとんどなかったのです。当時の岩波数学講座全三〇巻のうち、代数幾何は僅か一分冊、一〇〇ページ程度で、それを眺めて変な数学があるものだと思ったのを覚えています。

その頃ワイルの『群論と量子力学』とか、フォン・ノイマンの『量子力学の数学的基礎』などという本が出て、数学と物理に密接な関係があるように見えたので、物理も一寸《ちょっと》かじってみようと、数学科を卒業してから物理学科に入りました。今と違って全然閑だったらしく、物理の学生のくせに数学の論文を書いていました。物理を卒業して一九四二年に文理大の数学科の助教授になり、一九四四年には東大の物理学科の助教授になりました。物理の論文が一つもないのに物理の助教授にされちゃったのはどういうわけかわかりませんが、今では考えられないことです。今だったら論文がいくつあるとかないとかいって教授会で大騒ぎになる(笑)。物理の先生になっても講義は物理数学などでしたが、ゼミはやはり物理をやらなければ、ということでハイゼンベルグ(Heisenberg)の場の理論の論文、などを読みました。しかしゼミも本当に物理だったか、数学だったか怪しいもので、私のゼミにいた人で物理から数学に変わった人が何人かいます(笑)。私は、定まった専門もなく、ヒルベルト空間、微分方程式、ハール測度、など手当り次第に勉強しました。あらずもがなの連続幾何まで勉強して、一夏つぶして論文(古屋さんと共著の)を書きました。連続幾何というのは要するに無限次元の射影幾何ですが、射影空間全体の次元が1で、0と1の間の任意の実数μに対してμ次元の線型部分空間が存在する。しかも点は存在しない。こういう不思議な幾何をフォン・ノイマンが発明しまして、そのうちにこれを使って量子論をやってみせるという宣伝があったので、つい騙されて本気にして……(笑)。今考えると損したような気がしますが、物理というのは将来どうなるかわかりませんから、連続幾何も案外使われるかもしれません。

こんな調子でいろいろなものに興味をもっていましたが、一九四二年頃からワイルのリーマン面の理論に惹かれまして、彼の名著『リーマン面の概念(Die Idee der Riemannschen

Fläche)』を詳しく読んで、何とかしてこの一次元複素多様体の理論を二次元以上の場合に拡張したい、と漠然と考えました。今の若い方は複素多様体というものが昔からあったように思われるかもしれませんが、その頃は一般の複素多様体の概念ははっきりとは意識されていなかったのです。『リーマン面の概念』が出たのが一九一三年で、今だったらたちまちこの高次元への拡張を誰かがやるのでしょうが、昔はのんびりしていて誰も拡張を考えなかったようです。

よく知られていますように、リーマン面上の実数値関数uが(多価)複素解析関数の実数部であるための必要かつ十分な条件はuが調和関数であることでありまして、『リーマン面の概念』も、まず、(i)リーマン面上に与えられた特異性をもつ実調和関数を構成し、次に、(ii)その調和関数を実部とする複素解析関数の存在を証明する、という構成になっています。二次元以上の複素多様体上では、実調和関数は一般には複素解析関数の実部にならないのですが、そうかといって何をやったらよいかわからなかったので、まず『リーマン面の概念』の(i)の部分をn次元実リーマン空間の場合に拡張しようと思いまして、ホッジ(Hodge)の論文などを読みました。ホッジの論文は難しくて結局わからなかったのですが、ド・ラーム(de Rham)の定理、アダマール(Hadamard)による偏微分方程式の基本解とワイルの直交射影の方法を用いますと、(i)の部分がそっくりそのまま何の困難もなくn次元に拡張できることがわかりまして、結果だけ一九四四年に日本学士院紀要に発表しました。

詳しく書いた論文は戦争でそのままになっていたのですが、戦後、角谷さんが進駐軍の知っているアメリカ人に『Annals of Math.』に送るように頼んであげるといわれるので、他に仕方がないから宜しくお願いすることにしました。そうしましたら、もう半分忘れた頃に校正刷がきまして、論文は結局一九四九年の『Annals』に出ました。

一九四六年だったか一九四七年か忘れましたけれども、その頃何かのきっかけで――たぶん物理のゼミではなかったかと思いますが――二階常微分方程式の固有値問題に興味をもちまして、固有関数展開に現われる密度分布を表わす公式を証明しました。これをどうやって考えたかという種を明かしますと、ストーン(Stone)のヒルベルト空間の本の最後の章にヤコビ行列の固有値問題の話が出ています。ヤコビ行列の固有値問題はすなわち二階定差方程式の固有値問題です。この定差方程式を、直線上εの間隔で分布している離散的な点集合上の関数に関する方程式と考えてε→0の極限をとれば、二階常微分方程式が得られます。このようにしてヤコビ行列の理論を常微分方程式の理論に直したのが上述の公式で、これもたちまちできてしまいました。

その頃、たぶん一九四八年の春だったと思いますが、菅原先生から「ワイルに推薦状を書くように高木先生に頼んでおいたから」という話がありました。それから半年ほどたってワイルから高級研究所に来ないかという招待状がきました。さっそく菅原先生といっしょに高木先生のお宅にお礼に行きましたところ、高木先生は悠然として「エヘ……実はなまけていて、まだ何にも書いてないんで……」(笑)。なるほど大先生というものはこういうふうに悠然としていなければいけないものかと(笑)、すっかり感心しました。私も早くそういうふうになりたいものだと思うのですが、若い人に推薦状を頼まれるとついあわてて書いてしまいます(笑)。

それで一九四九年の秋にプリンストンに行きましたが、英語が全然わからなくて本当に困りました。ワイル先生も私が英語があんまり下手なので一寸驚いたらしく、私の顔をつくづく眺めて、二学期になって英語がもう少しわかるようになったらゼミをやろうといわれました。戦後英語教育が進歩したのか、今の若い人は皆んな英語をしゃべったり聞いたり自由らしいけれども、私は全然わからなくて……。それでも研究所にはミス・アイグルハート(Miss Eiglhart)という優秀な秘書がいて、おかげで英語をしゃべらなくても用が足りるので助かりました。何か用があるときには彼女のところに行って黙って立っていると、ちゃんとこちらの意を察して……(笑)。

プリンストンに着いて間もなく大学のスペンサー(Spencer)教授から一寸会いたいという伝言があったので、会いに行ったら、ゼミで調和形式の話をしてほしいといわれました。で、英語がしゃべれないから駄目ですと断ったら、いま英語がしゃべれないと、英語でしゃべったじゃないか(笑)といわれて、結局週一回大学で調和形式の話をすることになりました。このゼミに誰がいたか、どうもはっきり思いだせません。

二学期、つまり一九五〇年の一月になって、研究所でワイルとジーゲル(Siegel)の指導の下で調和形式のゼミがはじまりました。まずワイルが二―三回歴史的な話をし、そのあとド・ラームがカレント(current)の方法による調和形式の話をし、そのあと私が調和形式の複素多様体への応用について話しました。私の話はコンパクトなケーラー多様体上に与えられた因子をもつ有理型関数が存在するかという問題について、コンパクトなリーマン面に関するアーベル(Abel)の定理の高次元への拡張を与えたものでした。

リーマン面の理論を二次以上の場合に拡張するために何をしたらよいか、ここまで来ても未だよくわかりませんでしたが、『リーマン面の概念』を見るとリーマン－ロッホの定理が理論の中心をなしているように思われたので、まずリーマン－ロッホの定理を二次元コンパクト複素多様体の場合に拡張することを試みまして、ケーラー計量を仮定して、一応二次元の場合のリーマン－ロッホの定理を証明しました。その頃イタリーの代数幾何学者コンフォルト(Conforto)に会ってこのリーマン－ロッホの定理の話をしたら、それでは実験をして見ようといって、研究所の庭を散歩しながらいろいろな例に定理を適用して暗算で確かめてくれました。彼の豊富な知識にはすっかり感心しましたが、彼の考えでは、定理というものは証明してもさらに実験してみなければ確かでない……(笑)。それからアンドレオッティ(Andreotti)に会って話したら、彼曰く「証明できるようになったのは有難い。今までは多年の修業を積んでやっとわかる難しい……」(笑)。なるほど、数学にもいろいろあるものだと感心しました(笑)。

一九五一年だったか五二年かはっきりしませんが、スペンサーが層(sheaf)というものがあるからあれを勉強しようといいだして層のゼミを始めました。私もそのゼミに出ていましたが、層というものは何だか実体のない抽象的な変なものだというのが私の第一印象でした。層が代数幾何で中心的な役割を演じるようになろうとは夢にも考えませんでした。層が有効らしいと気がついたのは、スペンサーと共著の論文で、層を使ってセベリ(Severi)の予想 $p_a=P_a$ の証明に成功したときだったと思います。代数的多様体の二通りの算術種数 p_a と P_a が一致するだろう、というのがセベリの予想で、一九四九年にセベリがイタリー学派の代数幾何について行った講演で遠方の星か何かを引合いに出してその解決の難しさを強調したものです。この「難問」が層を使うと手もなく解けてしまうことがわかったので、これはと思ったわけです。

二次元の場合のリーマン－ロッホの定理が一応できたので、次に三次元の場合を試みましたが、何だかわけのわからないごたごたした結果がでてきて、一般の場合にはどうしたらよいか、全然見当もつきませんでした。これに層を使って鮮やかな見透しをつけたのはセール(Serre)です。ある日セールから手紙で、リーマン－ロッホの定理の一般の形は

$$\sum_q(-1)^q \dim H^q(M, \mathcal{O}(F)) = \chi(M, F)$$

となるであろうといってきました。なるほど、そういわれてみればその通りで、このセールの予想した公式を証明するのが当時の複素多様体論の中心問題になりました。私もこの中心問題を考えてみましたが、考えようとしても何を考えたらよいか見当もつきません。私は難問を解く能力に欠けているらしく、こういう困難な状況になると手も足も出ません。

その頃、どういうきっかけだったか忘れましたが、矢野‐ボッホナー(Bochner)の『Curvature and Betti numbers』という本の真似をしてコホモロジー群 $H^q(M, \Omega^p(F))$ が消える条件を求めることを思いつきまして、いわゆる消滅定理を証明し、そしてそれを用いて、ホッジ多様体はすべて代数的である、という定理を得ました。この定理をどうやって考えたか、と若い人にしばしば聞かれるのですが、どうやったかどうしても思いだせません(笑)。その頃の中心問題はリーマン‐ロッホの定理で、他のことはどうでもよいような気がしていたので、なおのこと記憶に残っていないのだろうと思います。

たしか一九五三年の秋にヒルツェブルッフ(Hirzebruch)がこの中心問題を解決しました。どうやって解決したか彼に聞いてみたことはないのですが、聞いたら彼もよく覚えていないというだろうと思います。その頃彼はチャーン(Chern)類の多項式の計算ばかりやっていて、リーマン‐ロッホの定理が正しいと仮定していろいろな結果を出していました。もしも定理が正しくなかったらどうするだろうと思っていたら、たちまち定理が正しいことまで証明してしまいました(笑)。これは私の想像ですが、定理を証明しようとして計算をしていたのではなく、いろいろ計算をやっているうちにふと証明を思いついたのだろうと思います。

中心問題が解けて、複素多様体の一般論は一段落といった感じで、また何をしたらよいかわからなくなりました。それで今度は複素多様体の構造でも調べてみようと思いまして、曲面、すなわち二次元コンパクト複素多様体の構造の研究を始めました。一九五二年にチャウ(Chow)と共著の論文で代数的に独立な二つの有理型関数をもつ曲面は代数曲面であることを証明したので、今度は当然代数的に独立な有理型関数を一つだけもつ曲面の構造が問題になります。その頃、井草の予想というのがありました。それは、コンパクトな複素多様体はすべて代数的多様体と複素トーラスから組み立てられている、というのです。今考えればずいぶん乱暴な予想ですが、当時は、そういわれればそうかもしれないと思いました。この予想が正しいならば、代数的に独立な有理型関数を一つだけもつ曲面は楕円曲面、すなわち代数曲線上の楕円曲線を一般ファイバーとするファイバー曲面になっているはずですが、調べてみるとちゃんとそうなっていることがわかりました。これをきっかけにして楕円曲面の研究を始めましたが、始めてみると、古典的な楕円関数論がおもしろいほどうまく役立って、自然に楕円曲面論ができ上りました。

コンパクトな複素多様体は有限個の座標近傍を貼り合せたものであるから、その複素構造の変形とは貼り合せ方を変えることに他ならない、というのがスペンサーと共同で研究した複素構造の変形の理論の基本的な考えです。一九五六年の秋だったと思いますが、研究所に滞在していたフレーリッヒア(Frölicher)とノイエンハウス(Nijenhuis)が、微分幾何の立場から複素射影空間の複素構造は変形できないことの証明に成功しました。談話会で彼らの証明を聞いて、変形というのは要するに貼り合せ方を変えることではないか、と漠然と考えたのです。もちろん貼り合せ方を変えても必ずしも複素構造が変わるとはかぎらないから、乱暴で幼稚な考えですが、とも角この考えでコンパクト複素多様体Mの複素構造が時間tに従って変わる様子を調べてみますと、複素構造のtに関する微分、すなわち変形の速度がコホモロジー群$H^1(M, \Theta)$の元で表わされる、ということになります。ここでΘはM上の正則ベクトル場の層です。さらにこのことから、Mのモジュライ数mと$\dim H^1(M, \Theta)$の間に密接な関係があるはずだ、ということになります。さっそく二、三の簡単な例について計算してみますと、等式

$$m = \dim H^1(M, \Theta)$$

が成立している。これは妙だ、変形は貼り合せ方を変えることだ、というような幼稚な考えで変形理論ができるはずがない、早く反例を見つけてこんなことは止めようと思いまして、いろいろな例を調べてみると、いつも等式$m = \dim H^1(M, \Theta)$が成り立ってしまいます。それならばこの等式が正しいのかもしれないと思い、いろいろ証明を試みましたが、どうしてもうまくいきません。変形理論はこんなことをいろいろやっているうちに次第に

形を成してきたので、はじめは全く実験科学だったのです。

振り返って見ると、私が何とか一人前の仕事ができたのは、プリンストンで複素多様体論という新しい分野が始まったとき、偶然そこに居合わせてスペンサーというよき共同研究者に巡り合うという幸運のお蔭であったと思います。ヒルツェブルッフがリーマン－ロッホの定理を証明して、複素多様体論が一段落に達するまで、ワイルとジーゲル指導のゼミから数えても四年、スペンサーが層を勉強しよう、といい出してからわずか二年足らずです。もしもプリンストンに行くのが数年遅れたら、私には一人前の仕事はできなかったのではないかと思います。数学の研究は頭で考えるだけであるから研究中は主体的に行動しているような気がしますが、後から考えると結局運命に支配されていたことに気付きます。

一九六二年頃から日本に帰らないかという話がありまして、六七年に雑用はしなくてもよいという約束で帰ってきたのです(笑)。はじめは日本もなかなかよい所だと思っていたのですが、いつの間にかなしくずしに雑用を頼まれる、しまいに学部長にされてしまいました。不思議な話で、確かに雑用はしなくてよいという約束があったと思うのですが、どなたか覚えていませんか(笑)。学部長というのは、興味があればおもしろいだろうと思いますが、興味がなければあんないやなものはない。興味のない方はならないように心掛けるとよい。どうしたら学部長にならずにすむかと考えたけれどわかりません(笑)。たぶん

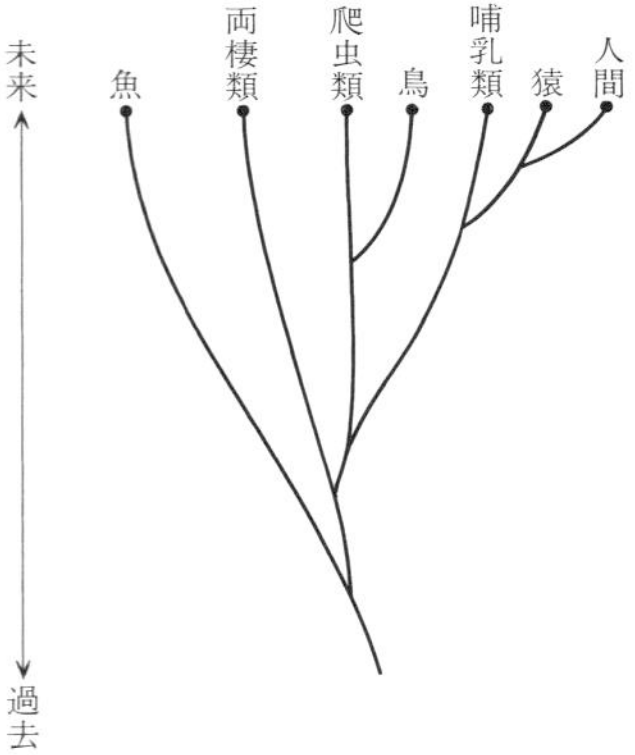

教授会で黙っていればよいのだろうと思って私はほとんど教授会に出なかったのですが、それでもなってしまいました。

さて表題の「……」ですが、はじめに申上げましたように、数学の進歩の方向を予想してその将来を展望することは私にはできませんが、しかし進歩のパターンは定っているのではないか、進歩の典型は生物の進化ですから、数学の進歩のパターンも生物の進化のパターンと同じではないかと思うのです。動物の進化のパターンは上図のようになっているという話です。三―四億年の昔、魚が進化して両棲類になった。しかし当時の最も進化した魚がさらに進化して両棲類になったのではなく、魚としては幼稚(primitive)な形態のものが進化して両棲類になった。四億年も昔のことですから実際にどうなっていたかもちろんわかりませんが、一寸想像を逞《たくま》しくしてみますと、当時すでに立派な魚で、海の表面に近い見通しのよい透明な水域を颯爽《さつそう》として泳いでいたのがいた。そういう魚の子孫は今でもやはり魚、たとえば鯛で……(笑)。一方当時魚としてはすこぶる幼稚な形態で海底の泥の中をがむしゃらに這い回っていたのがいた。そういうのの子孫がいつの間にか陸上に這い上って両棲類になった。そして幼稚な形態の両棲類が進化して爬虫類になり……幼稚な形態の猿が進化して人間になった。

数学の進歩のパターンもこれと同様だと思うのです。ある一つの分野が進歩していって、その進歩の最先端から新しい分野が生まれるのではなくて、その分野の原始的(primitive)な所から新しい分野が生まれる。差し障りがあるといけませんから数学の現状については何もいわないことにしますが、四〇年前私がまだ学生だった頃の状況についてみますと、その頃の鯛に当る分野は平面幾何だったと思うのです。当時まだ平面幾何が栄えていて、例えばフォイエルバッハの定理の証明を二三通り発見した、というような平面幾何の大家が何人かおられました。平面幾何は二〇〇〇年の昔にはじまってその形態を変えずに進歩し続けてきた透明な学問で正に鯛に相当すると思うのです。解析幾何は平面幾何から発展したのでしょうが、当時の平面幾何の最先端からではなく、平面幾何としては初歩的な所から発展したのであろうと思います。

われわれが数学を研究する場合も同様で、専門分野を一つ定めてその最先端の見透しのよい所で仕事をしていると、鮮やかな結果は出てくるけれども、あまり珍しい変わったことは出てこない。泥沼にもぐって何にも見えない所を暗中模索で這い回っているといつの間にか思いもかけない珍しい結果が出てくる。新しい分野はこういうふうにして生まれるのではないかと思います。

話がだいぶおかしくなってきましたから、ついでにもう一つ怪しげな話をしますと、現代数学の主流をなす形式主義によれば、数学はそれ自身は意味のない記号を並べて遊ぶゲームにすぎない、ということですが、私はこれはおかしいのではないかと思います。たとえば、ヒルベルトの幾何学基礎論では、「点」、「直線」、などは意味のない無定義語であって、「鯨」、「豚」、などで置き換えてもいっこう差支えないということになっていますが、われわれが、たとえば「三角形の内角の和は二直角に等しい」という定理を証明するときには、やはり三角形を紙上に描くかまたは頭の中で想像しているのであって、その代りに三頭の鯨と三匹の豚の絵を眺めていては証明は不可能でしょう。

また、たとえば、公理的集合論の本を書くには、公理系から出発して推論の規則によって導きだされる式を順次に書き並べていけばよいわけですが、記号にも式にも意味がないという建前ですから、特定の式を選ぶ理由は何にもないはずで、したがって、公理系から導きだされる式をたとえばその長さの順にすべてもれなく書いていくよりほか仕方がないことになります。しかしこれでは何十万ページ書き続けても本は完結しないでしょう。また仮に百万ページで打切ったとしても、こんな本は到底読めるものではありません。実際にはこういう奇妙なことにはなりませんが、それは公理系から導きだせる無数の式の中から重要な意味をもつ特定なものだけを選んで特定の順序に書き並べていくからです。意味を考えない形式主義の立場にたつかぎり、公理的集合論の本を書くことさえ不可能なのであって、形式主義というのはまやかしではないかと思うのです。

ワイルは直観主義者でした。何か用があって会いにいったとき、ワイルから「私は古い(old-fashioned)かもしれないが、直交射影の方法はよくないと思う、君の論文も直交射影の方法を使わない形に書き直した方がよい」といわれたのはショックでした。御存知のように、直交射影の方法では、まず与えられた空間上の平方可積分関数全体のつくるヒルベルト空間$\mathfrak{H}$を考えるのですが、ワイルの直観主義の立場では、$\mathfrak{H}$のような大きな集合の存在は確かでないらしいのです。一九五五年に出た『リーマン面の概念』の新版の序文で、ワイルは「ディリクレの原理を本質的には同値な直交射影の方法に変えようかと一時考えたけれども、結局変えないことにした。その理由は説明しないが」という意味のことをいっています。私は、その理由はやはりヒルベルト空間$\mathfrak{H}$の存在が確かでないからであったのではないかと想像します。

ゲーデル(Gödel)の立場は実在論で、彼は、数学の対象はわれわれの定義や構成とは独立な実在である、という意味のことをいい、さらに、このような実在を仮定することは物理学が物質の存在を仮定するのと同様に正当である、といっています。私の立場も実在論で——というと偉そうに聞えますが、ゲーデルのは深遠な思索の結果の実在論、私のは思索抜きの素朴な実在論です。私は巨大な加速器を使って何万枚も写真を撮ってやっと見つかる奇妙な素粒子などよりも、たとえば$K3$曲面のような数学の対象の方がはるかに確かな実在だと思うのですが……。

基礎論の専門家を除けば、大多数の数学者は、建前は形式主義でも本音は実在論だろうと思います。われわれ数学者が新しい定理を発明したといわないで発見したというのは、その定理がそれを発見した数学者とは独立に宇宙のはじめから実在していたと感じるからでしょう。それにもかかわらず現代数学の主流が形式主義であるとされていることは人間の脳の機構と密接な関係があると思うのですが、話がますます怪しくなってきましたので、この辺で……(拍手)。

(『科学』一九七五年五月号)

難しくなった数学

私が数学研究への途を歩みはじめた契機とかその頃の思い出、といった話を書いてほしいという『数学セミナー』の」編集長の依頼である。私はいつの間にか自然に数学者になってしまったので、契機というようなはっきりしたものはないが、私が研究をはじめた頃の数学は今の数学よりもはるかに易しかったと思う。

当時の大学は旧制であったから、年齢的にいえばその一年生が現在の学部の三年生に相当する。まだ数学が発達していなかったから、分野の数も少なく、卒業までの三年間に修得すべき科目の数は一二—一三であった。その中には力学、流体力学、など、現在の数学科にはない科目がいくつかあった。それを除くと聴講しなければならない数学の講義は解析概論、幾何学、代数学、函数論、微分方程式、など最も基本的なものだけであった。それも講義は二年までで、三年はゼミだけであったと思う。トポロジーも多様体も講義はなかった。

トポロジーはまだ発達の初期の段階で、本といえばケレキャルト(Kerékjarto)の『Topologie』、ザイフェルト-トレルファル(Seifert-Threlfall)の『Lehrbuch der Topologie』、アレクサンドロフ－ホップの『Topologie I』の三冊くらいなもので日本語の単行本はなかった。位相微分幾何、複素多様体論、などという学問はまだはじまっていなかった。ワイルの『リーマン面の概念』は難解な名著として知られていたが、これを拡張して複素多様体の理論を展開しようという動きはまだなかった。代数幾何は古い学問であるが当時の日本ではほとんど知られていなかった。

数学全般にわたって本の数も論文の数も極めて少なかった。特に当時新しくはじまった分野では本を一冊読めばもう専門家であった。たとえばアレクサンドロフ－ホップの『Topologie I』を読んだだけでトポロジーの論文を書くことができた。

しかし今と違って早く論文を書いて急いで発表しなければならないという圧力はあまり感じなかった。むしろ本や論文を読んで数学を勉強する方が主で、たまたま何か面白いことを思い付いたらそれを論文に書く、という風であった。数学者の数が少なかったから早く発表しなければ誰かに先を越されるという心配はあまりなかった。今はどんな細かい問題でも必ず世界のどこかに同じ問題を考えている人がいるようで、油断も隙もないが、当時はそんなことはなかったと思う。

先日D. Sundararaman著の『Moduli, deformations and classifications of compact complex manifolds』という本が出た。複素多様体に関する簡潔な綜合報告であるが、文献として何と一〇〇〇編の論文が挙げてある。一九五五年頃プリンストンの高級研究所でワイルが一九〇〇年以降の数学史の講義をした。その何回目かに、任意の無理数θに対して無数の点$e^{2n\pi i\theta}$（nは整数）が単位円周上に一様に分布する、というワイルの定理に言及して、われわれ聴衆に向って「私が若かった頃にはこんな簡単な定理が大発見でした。今は数学が難しくなってあなた方若い人は大変ですね」と言われた。そのときの聴衆の一人であった私は今一〇〇〇編の論文のリストを眺めて、その後二五年間に数学はさらに一段と難しくなり、現代の若い人は実に大変であろうと思うのである。

（『数学セミナー』一九八一年五月号）

プリンストンの思い出

高級研究所

私はプリンストンの高級研究所のワイル（Hermann Weyl）教授に招かれて一九四九年の九月に渡米した。朝永振一郎先生と一緒であった。

終戦直後の東京は焼跡だらけで、食べるものも碌になく、実に惨めであった。その頃、プリンストンには高級研究所というのがあって、そこの所員は全然義務がなく、自分の好きな研究だけしていればよい、という話を聞いた。大変羨ましく思い、当時東大の物理学科の私の研究室にいた斎藤利弥さんに「根本問題は日本に生れたことにある」といったら、斎藤さん曰く「あまり根本的過ぎてどうにもならないじゃないですか！」。

その高級研究所に来てみると英語がぜんぜんわからない。しかし優秀で親切な秘書がいて、何か用事があるときには彼女のところに行って黙って立っていると、ちゃんとこちらの意を察してくれる。何か不思議の国に移住したみたいで非常に印象が深かった。朝永先生曰く「天国に島流しになったみたいだ」。

編集部の要望もあり、印象が深かった当時のプリンストンの思い出について書くことにする。

プリンストンに着いて早速ワイル先生にお目に掛った。先生は私があまりにも英語が下手なのでちょっと驚かれたらしく、「二学期になって少し英語がうまくなったらゼミをしよう」といわれた。

しばらくしてプリンストン大学のスペンサー(D. C. Spencer)教授からちょっと会いたいという伝言があったので会いに行ったら、ゼミで調和テンソル場の話をしてほしいといわれた。英語がしゃべれないから駄目です、と断ったら、いま英語がしゃべれないと英語でしゃべったじゃないか、といわれて、結局毎週一回大学で調和テンソル場の話をすることになった。

高級研究所ではジーゲル(C. L. Siegel)の三体問題の講義を聞いた。毎週三時間、明解な講義でよくわかった。ジーゲルは講義の内容を全部暗記してくるらしく、ノートなしで講義した。これには感心した。

ジーゲルの講義の英語はわかったが、日常会話は全然駄目だった。一一月の中頃、所長のオッペンハイマーの家で大きなカクテル・パーティーがあった。研究所の所員はほとんど全部きていた。帰りに若い数学者のベイトマン(Bateman)が私に何か言った。何だか全然わからなかったが、多分下宿まで車で送ってあげる、と言ったのだろうと思って、朝永先生に一緒に行きましょうと誘った。そうしたら、ベイトマンの家に連れていかれて二次会が始まり、ディナーが出たのには驚いた。

英語だけでなくアメリカ人の顔の区別が難しかったのは不思議な現象であった。同一の人かと思っているとちょっと似た別人であったりした。恐らく顔の特徴を把握する能力も多年に亙《わた》る訓練の結果であって、日本人の顔で訓練した能力ですぐにアメリカ人の顔を識別するのは難しかったのであろう。

私より一年前に研究所に来た角谷静夫さんは九月からエール大学に移られたが、しばしばプリンストンに現われた。角谷さんは実によく英語をしゃべった。数人集まると主にしゃべるのは角谷さんでアメリカ人の方がフンフンといって聞いているのには感心した。

研究所の短期所員(temporary members)にはド・ラーム(de Rham)のような有名な数学者もいたが、大部分は若い数学者であった。後に有名になったボット(R. Bott)もその一人であった。角谷さんのお蔭で私は若い数学者たちと知り合いになった。彼らは私に非常に親切にしてくれた。

セミナリー

二学期になってワイルとジーゲルの指導で調和形式に関するゼミがはじまった。最初数回ワイルが歴史的な話をした。その一回目に大学の若い学生が数人最前列に陣取って煙草を吹かしながら聴いていた。そうしたら二回目にジーゲルがNo Smokingと書いた板をもってきて黒板の所に置いて「これが私のこのゼミへの唯一の寄与です(This is my only contribution to this seminar)」と冗談をいった。ワイル先生は煙草が嫌いだと聞いたが、煙草にアレルギーだったのであろう。

ワイルのつぎにド・ラームが七―八回カレント(current)の方法による調和形式の理論を話し、そのあと私が調和形式の複素多様体への応用について話した。

ド・ラームの定理で有名なド・ラームは登山の方も専門家で、一九五四年にスイスのロザンヌの彼の家を訪ねたとき、彼がエディターをしている登山の雑誌を見せてくれた。ド・ラームに誘われて若いスイス人の物理学者と一緒にニューヨークに遊びに行ったとき、その物理学者が、岩登りなんて一本のロープに命がかかっている、あんな危険なことは嫌いだ、というようなことを言った。そうしたらド・ラーム曰く「いや、命はロープにかかっているんじゃない、頭にかかっているんだ」。

このゼミにはアレキサンダーが出席していた。アレキサンダー双対定理のアレキサンダーである。角谷さんによると、アレキサンダーは大金持ちで、登山、ラジオ、等々、いろいろな趣味をもっていて、その一つが数学であるという話であった。ド・ラームが学生であった頃、アルプスの頂上でガイドを何人も連れたアレキサンダーに会ったが、そのとき、あの人はアメリカの金持ちの登山家だと聞いたが、数学者のアレキサンダーだとは知らなかったそうである。

アインシュタインの講義

珍しくアインシュタインの講義があった。アインシュタインの講義は一般に知れると人が大勢押しかけてきて大変だというので、掲示板にはただ「一一時から講義あり」とあるだけで講義の内容も講師の名前も書いてなく、ゼミのとき「一一時からアインシュタインの講義があるけれどこれは秘密だよ」という風に小さい声で口伝えに伝わってきた。アインシュタインは上着なしの襟のつまったジャケツを着て現われ、何かボソボソ言いながら黒板に式を書きはじめた。はじめ何をいっているのかわからなかったが、よく聴くと、式の文字を「アー」、「ベー」、「ツェー」、……とドイツ流に読んでいるのであった。時々英語の単語を忘れて「transponie…」などとドイツ語で言いかけると、聴講者の一人が「transpose」と言って後押しをする、といった調子であった。講義の内容は一般相対論の計量テンソルとして対称でないものを用いれば電磁場まで含んだ統一場理論ができる、というものであった。

夏休み

ワイルとジーゲル指導のゼミは四月に終わった。研究所は夏休みに入った。

高級研究所の短期所員には全然義務はないが、しかし無条件というわけではなく、プリンストンに住居を定めることが条件となっていた。夏休みになるとこの条件もはずされて、どこへ行って何をしてもかまわない、ということになるのであった。

私はマサチューセッツ工業大学へ講演に出掛けた。一日一時間ずつ三日間続けて話をした。ザリスキー(O. Zariski)、ホッジ(W. V. D. Hodge)両大先生が最前列で話を聞いておられたのには閉口した。

ザリスキーは若いときイタリーで代数幾何を勉強したそうであるが、証明が厳密でないイタリー学派の代数幾何に対しては極めて批判的であった。イタリー学派の代数幾何で不思議なのは証明はあやしいが定理は正しいことである。私は証明になっているかどうかわからないあやしげな証明で正しい定理を導いたのは大したものだと感心するのであるが、ザリスキーはそうは考えないようであった。エンリケス－セベリ(Enriques-Severi)の補題とよばれる有名な定理がある。ザリスキーは一九五二年にこの定理の厳密な代数的証明を与えた。後にスペンサーと私がこの定理の層による簡単な証明を与えたとき、ザリスキーから、エンリケスはこの定理を一度も証明したことがない、という手紙が来た。それでわれわれはこの定理をエンリケス－セベリ－ザリスキーの補題とよぶことにしたのである。

ザリスキーの話によると、昔エンリケスがザリスキーに「自分のような貴族(aristocrat)には証明は要らない。証明はお前たち庶民がやればよい」と言ったそうである。こんなことを言われれば批判的になるのも当然であろう。

夏には日本から来た岩沢健吉さんと一緒にシカゴ大学に行って一ヵ月ほど滞在した。ヴェイユ(A. Weil)も家族はフランスに行っていてわれわれと同じ学生の宿舎に泊っていたので、ほとんど毎日会った。昼食はたいてい一緒であった。ヴェイユの頭の鋭いのは驚くばかりで、およそ数学のことは何でも知っているようであった。いろいろ教えてもらい、また、いろいろな問題を出されてずいぶん勉強した。岩沢さんもこんなに勉強したのは生まれてはじめてだといっていた。私はシカゴ滞在中にケーラー曲面上のリーマン－ロッホの定理を証明することができた。ヴェイユにいろいろ教わったお蔭である。

夏の終りに国際数学者会議に参加するためにハーバード大学に行った。宿舎は大学の学生寮で、部屋にはトイレもなく、二段ベッドであった。こんな粗末な宿舎でよいなら、日本でも駒場の寮を使えば国際会議ができると思った。日本からは末綱恕一先生、弥永昌吉先生、吉田耕作先生、などが来られた。

プリンストンに帰って、国際会議の帰りに高級研究所にしばらく滞在するというイタリーの代数幾何学者コンフォルト(F. Conforto)に会った。私のリーマン－ロッホの定理は代数曲面上の完備線型系のスーパーアバンダンスを与える公式を含んでいる。研究所の庭を一緒に散歩しながら、コンフォルトにこの公式の話をしたら、彼は「それでは実験をしてみよう」といって、いろいろな代数曲面の例について暗算で完備線型系のスーパーアバンダンスの値を計算して公式と比較して「どうも合っているらしい」と言った。暗算でスーパーアバンダンスを計算する実力には感心したが、コンフォルトの考えでは定理というものは証明しただけではまだあやしいので、さらに実験によって確かめてみなければならない、ということらしかった。ここにイタリー学派の代数幾何の秘密の一端を見たような気がした。

ジョーンズ・ホプキンス大学

九月からもう一年高級研究所に滞在する予定になっていたのであるが、ジョーンズ・ホプキンス大学のチャウ(W. L. Chow)教授がどうしても来てほしいという。ついに断り切れずにジョーンズ・ホプキンスに行くことにした。このとき断り切れたらもう一年高級研究所にいて、翌年無事に日本に帰ったかも知れない。

ジョーンズ・ホプキンスに一年滞在して翌一九五一年の六月に高級研究所に戻った。滞在中チャウと共著の論文を一つ書いた。ケーラー曲面上に代数的に独立な有理型関数が二つ存在すればその曲面は代数曲面であることを証明した論文である。

プリンストン大学

高級研究所に一年いて、一九五二年九月からスペンサーの世話でプリンストン大学に移った。高級研究所には日本から河田敬義さん、ドイツから若い数学者のヒルツェブルッフ(F. Hirzebruch)が来た。

当時のプリンストン大学の数学教室の主任はレフシェッツ(S. Lefschetz)教授であった。レフシェッツは若いときエンジニアであったが、実験中の事故で両手を失って数学者になったという人であった。彼は博識で、日本のこともよく知っているようであった。太平洋戦争の話がでたとき、私が何かいったら、いや、そうじゃない、あれは農村出身の陸軍将校たちが農村の疲弊に憤慨したのがそもそもの原因だ、と教えてくれた。谷崎潤一郎の『細雪』を読んで日本人の呼び方を覚えたといって、日本式の発音で私の家内に「コダイラサン」と呼びかけたのには感心した。

スペンサーはコロラド州のボールダーで生まれた背の高い頑健なアメリカ人で、非常に積極的で熱心であった。一九五〇年代にプリンストンで複素多様体論が発展した原動力はスペンサーの熱意であったと思う。

層のゼミをしようと言い出したのもスペンサーである。この頃からスペンサーと私の共同研究がはじまり、町のレストランで一緒に昼食をしてそれから大学に行って数学の議論をするのが日課のようになった。その最初の成果が一九五三年の春に発表した代数多様体の算術種数に関するセベリの予想 $p_a = P_a$ の層による証明であった。セベリが遠方に輝く星を引き合いに出してその難しさを強調した難問が層によって簡単に解けてしまったのは不思議であった。ともかく、この結果により層が複素多様体論に対して極めて有用なことがわかり、その後複素多様体論が急速に発展したのであるが、これについて書きはじめると長くなるから、ここには書かないことにする。

プリンストンも次第に馴れるに従って生活が日常化して、不思議の国という印象は薄れていった。

（『数学セミナー』一九八一年八月号）

ヘルマン・ワイル先生

筆者はヘルマン・ワイル(Hermann Weyl)に招ばれて一九四九年の九月にプリンストンの高級研究所に行った。招請の手紙のワイル先生の署名が印象的であった。研究所ではじめてお目に掛ったワイル先生は背が高く丸顔の恰幅のよい紳士で、円満な人の好いおじさんという感じであった。意外であった。

プリンストンへ行く途中シカゴ大学に寄ってヴェイユ(Weil)先生にお目に掛った。先生が鬼のお面を被って三階の窓から顔を出したのには驚いたが、それでも意外という感じはしなかった。ワイル先生の風貌が意外であったといっても、あらかじめ想像していた先生のイメージがあって、実物がそれに合わなかったという訳ではない。ただ何となく意外な感じがしたのである。

先生の方もやせた小さな碌に英語もしゃべれない東洋人が現われたので意外だったらしく、筆者の顔をつくづく眺めて「二学期になって英語に馴れたらゼミをしよう」と言われた。

ワイル先生はお昼には殆ど毎日研究所の四階の食堂でわれわれ若い所員と一緒に食事を

しながら楽しそうにいろいろな話をされた。先生が受皿にこぼれたコーヒーを茶碗に戻して飲んでおられたのが昨日のことのように思い出される。

ワイル先生は正直な人で、自分の考えを胸の中にしまっておくことができないらしく、たまにではあるが、実に辛辣なことを言われた。これは大分後になってからであるが、昼食のとき筆者の隣に坐っていた若いアメリカ人の数学者が「今日は小平の四〇歳の誕生日です」といった。そうしたらワイル先生は筆者に向って「私の見る所では数学者はまず三五歳までである。君も急がなければ(you'd better hurry)」と言われた。いくら急いでも三五歳には戻れない。これは大変なことになったと思っていると、先生もちょっと言い過ぎたと気付かれたらしく、「例外はある。君は例外かも知れない」と附言された。こんなのは生易しい方で、筆者は先生がある新進気鋭の数学者に面と向ってニコニコしながら「私はあなたの数学をそれ程評価しない」という意味のことを言われたのを聞いて度肝をぬかれたことがある。

ワイルは今世紀最後のスケールの大きい大数学者であろう。研究分野は数学だけでなく物理学から哲学にまで及び、アインシュタインが一般相対論を発表すればたちまち『時間・空間・物質』を著わして統一場理論を試み、量子力学が出現すれば『群論と量子力学』を書く、というふうで、論文一六七編、合計およそ二八〇〇ページ、著書一六冊に及ぶ厖大な仕事を遺した。

一九四〇年代はバナッハ空間、ヒルベルト空間等、関数解析が盛んで、研究所の若い所員にもその方面の人が多く、数学上ではワイルとジーゲル(Siegel)は孤立していたように見えた。研究所の正面の庭で会った日本人の数学者K氏が「ワイルとジーゲルは二人だけで古い難しい数学をやって喜んでいる。あれは反動ですね」と言ったのをはっきりと覚えている。一九五〇年代に入ってから代数幾何、多様体論、位相微分幾何、等が急速に発展して数学の様相が一変したのである。

＊　＊　＊

ワイル先生には渡米する前からいろいろお世話になった。ストーン(Stone)のヒルベルト空間の本[M. Stone : Linear Transformations in Hilbert Space, Amer. Math. Soc. Colloq. Publications, **15** (1932)]の最後の章のヤコービ行列(Jacobi matrices)の理論はすなわち二階定差方程式の理論である。これを二階常微分方程式の場合に直してワイルが若い時に書いた二階常微分方程式の固有値問題に関する論文[H. Weyl : Über gewöhnliche Differentialgleichungen mit Singularitäten und die zugehöringen Entwicklungen willkürlicher Funktionen, Math. Ann., **68** (1910), 220–269]と継ぎ合わせると、固有値の分布と固有関数展開を与える具体的な公式が得られることに気付き、結果を論文にまとめてワイル先生に送った。そうしたらワイル先生から手紙でティチュマルシュ(Titchmarsh)が別な方法で同じ公式を得ていることを知らせて下さり、この公式についてティチュマルシュが書いた本[E. C. Titchmarsh: Eigenfunction expansions associated with second-order differential equations, Oxford (1946)］を送って下さった。それからしばらくして先生から「今度の数学会の年会の講演で君の先日の論文を引用したいのですが、未発表の論文を引用しても宜しいでしょうか?」という主旨の手紙が来た。先生は極東の無名の数学者に対しても極めて丁重であった。この講演は一九四八年一二月のアメリカ数学会の年会で行われた［H. Weyl: Ramifications, old and new, of the eigenvalue problem, Bull. Amer. Math. Soc., **56** (1950), 115–139］。

＊　＊　＊

二学期になって予定通りワイルとジーゲル指導の下で調和微分形式のゼミが始まった。はじめ数回ワイル先生が歴史的な話をされた。未だ英語がよくわからなかったせいもあって、残念ながらその話の内容は全然憶えていない。ワイルの話が終わるとド・ラーム (de Rham) がカレント (current) の考えに基づくリーマン多様体上の調和微分形式の理論について七―八回話をし、その後筆者がその複素多様体への応用について話した。ゼミが終わったときワイル先生が「この前の調和微分形式のゼミは途中で潰れてしまったが、今度は専門家が揃っていたので終りまでうまく行った」と言われた。

この前のゼミというのは一九四二年頃に行われたホッジ (Hodge) の調和積分論に関するゼミで、ホッジの本［W. V. D. Hodge: The Theory and Applications of harmonic Integrals, Cambridge (1941)］を読んでいったが、調和微分形式の存在証明に欠陥 (gap) があることがわかり、そこでゼミは中止になったらしい。ワイル先生は自分でこの欠陥を埋める論文を書かれた[H. Weyl: On Hodge's theory of harmonic integrals, Ann. of Math., **44** (1943), 1–6]。先生は調和積分論は数学の重要な分野であると考えておられたらしい。

＊　＊　＊

ワイル先生が研究所で数週間に亙《わた》って数学の五〇年史、すなわち一九〇〇年から一九五〇年までの歴史の講義をされたことがあった。ヒルツェブルッフ(F. Hirzebruch)が聴講していたから一九五二年の春学期であったと思う。この講義のノートをとらなかったのは返すがえすも残念であるが、印象に残っているのは整数論について詳しく講義されたこと、ネバンリンナ(Nevanlinna)理論を高く評価されたこと、抽象的な一般論はつまらないと言われたこと、等である。何について抽象的一般論はつまらないといわれたかは覚えていないが、続いて「それならば何故『リーマン面の概念』という一般論を書いたかと聞かれるかも知れないが、当時リーマン面について話すとき「一般のリーマン面を考えよう」といってこんなこと(両手を水平にしてヒラヒラと動かす)をしていた。いくらなんでもこれでは困ると思って『リーマン面の概念』を書いた」と言われた。何だか『リーマン面の概念』はつまらない抽象論であるといわれたように聞えた。これには驚いた。よく知られているように『リーマン面の概念』[Die Idee der Riemannschen Fläche, Teubner, Berlin, 1913; 田村二郎訳、『リーマン面』、岩波書店、昭和四九年]は現代の複素多様体論の原型となった本で、そこには一次元複素多様体の殆ど完璧な理論が展開されているのである。

また「θが無理数ならば点列$\{e^{2n\pi i\theta}|n=1, 2, 3, \cdots\}$は単位円周上一様に分布する」というワイルの定理について「昔はこんな簡単なことが大発見でした。難しい仕事をしなければならない今の君達は気の毒ですね」と言われた。「アルティンが音楽にはバッハ以後新しいものは何もない、というから、私が数学はどうです、と聞いたら彼はいやな顔をした」という話を聴いたのもこの講義であったと思う。数学者アルティン(Emil Artin)は音楽に詳しく、ハープシコードを弾き、趣味として天体望遠鏡のレンズを研磨する、という人であった。

＊　＊　＊

筆者がプリンストンに着いてしばらくして調和微分形式の論文[K. Kodaira : Harmonic Fields in Riemannian Manifolds (Generalized Potential Theory), Ann. of Math., **50** (1949), 587–665]の別刷ができたので一部差し上げようと思ってワイル先生のオフィスを訪ねた。先生は別刷を手にして嬉しそうにニコニコして「直交射影の方法でうまくできましたね」というようなことを言ってほめて下さったが、「しかし私は古い(old-fashioned)かも知れないが直交射影の方法はよくないと思う。君の論文も直交射影の方法を用いない形に書き直した方がよい」と言われた。これには驚いた。『リーマン面の概念』の一九五五年の改訂版の序文にも「一時ディリクレの原理を直交射影の方法に変えようかと考えたが、結局変えないことにした。その理由はここには述べないが」と書いておられる。

直交射影の方法[H. Weyl : The Method of Orthogonal Projection in Potential Theory, Duke Math. Jour., **7**(1940), 411–444]はワイルが発見した方法で、調和微分形式の存在証明には極めて有効である。それをよくないと言われる理由はワイル先生の数学の哲学にあるらしい。数学の基礎に対するワイルの立場が直観主義であるということは聞いていたが、筆者は直観主義といってもそれは数学の基礎について論じる場合の話で、普段数学を研究するときには、われわれ普通の数学者と同じように考えるのであろうと思っていたが、ワイルの直観主義はそんな生半可なものではなかったようである。コンスタンス・リードのクーラントの伝記によると、ゲッティンゲンでワイルは新入生のための解析入門を直観主義の立場に立って講義されたという[Constance Reid : Courant, Springer Verlag, 1976, p. 128 ; 加藤瑞枝訳、『クーラント』、岩波書店、昭和五三年]。

直交射影の方法がどういうものであるかを説明するために、コンパクトなリーマン空間R上の与えられた周期をもつ第一種調和微分形式の存在を証明することを考えてみる。R上ルベック可測で有限なノルムをもつr次微分形式φの全体から成るヒルベルト空間をH^r、二回連続微分可能な微分形式から成るH^rの部分空間をL^rとすれば、dL^{r-1}およびδL^{r+1}はH^rの互いに直交する部分空間となる。dL^{r-1}とδL^{r+1}の両方に直交するH^rの部分空間をE^rとすれば、したがって、H^rは互いに直交する三つの部分空間の直和

$$H^r = E^r \oplus [dL^{r-1}] \oplus [\delta L^{r+1}]$$

となる。ここで［ ］は閉包を表わす。$\varphi \in H^r$ の E^r への直交射影を $P\varphi$ と書く。ド・ラームの定理により与えられた周期をもつ連続微分可能な r 次微分形式 φ, $d\varphi=0$、が存在する。その直交射影

$$u = P\varphi$$

をとれば u が求める第一種調和微分形式を与える――これが直交射影の方法である。

＊　＊　＊

ワイル先生は「自然数論を含むどんな無矛盾な形式的体系も不完全であってそれ自身の無矛盾を証明することはできない」というゲーデル(Gödel)の不完全性定理を深刻に受けとめられたようである。このことはワイルの『数学と自然科学の哲学』の英語版［H. Weyl: Philosophy of Mathematics and Natural Science, Princeton Univ. Press, 1949］の附録Aを見ればわかる。そこに先生は「数学の本当の基礎、本当の意味は結局よくわからないのではないか、数学は音楽と同様な人間の創造的活動の産物であって、その成果は歴史によって左右され、したがってそれを客観的に合理化することは難しいのではないか」というような意味のことを書いておられる。そして数学と論理について概観を述べられた論文［H. Weyl: Mathematics and Logic. A brief survey serving as a preface to a review of "The Philosophy of Bertrand Russell", Amer. Math. Monthly, **53** (1946), 2-13］の結びの文章では「(集合論

のパラドックスにはじまる）数学の危機（crisis）は私の数学にかなり実際的な影響を与えた。それは私の関心を比較的に「安全」と考えられる分野に向けた」といっておられる。

直観主義の立場では、実数あるいは関数が「存在する」というのはその実数あるいは関数を「構成することができる」という意味である。したがって任意不特定のルベック可測な微分形式などというものは存在せず、その全体から成るヒルベルト空間 H^r は全く架空のものであることになる。ワイル先生が直交射影の方法はよくないといわれたのは、このような架空の H^r を用いる直交射影の方法は「安全」でないと考えられたからであろう。これに対して『リーマン面の概念』のディリクレの原理による調和関数の存在証明は、区分的に滑らかな関数の列

$$u_1, u_2, u_3, \cdots, u_n, \cdots$$

をうまく構成して、その極限として求める調和関数

$$u = \lim_n u_n$$

を得るというもので、直交射影の方法による証明よりもはるかに「安全」であると考えられる。

不完全性定理を証明したゲーデルの考えはワイルとは異なるようである。ゲーデルは論文「ラッセルの数理論理学」で「集合（classes）と概念（concepts）はわれわれの定義や構成

とは独立な実在であると考えられる。私にはこのような実在を仮定することは物理学が物体の存在を仮定するのと同様に正当であると思われる。満足すべき物理学を得るためには物体が必要であるのと同じ意味で、満足すべき数学を得るためにはこういう実在が必要である」という意味のことを書いている[Kurt Gödel : Russell's Mathematical Logic, in Philosophy of Mathematics, edited by Paul Benacerraf and Hilary Putnam, Prentice-Hall, 1964, 211–232]。また「カントルの連続体仮説とは何か?」には「われわれは集合論の対象に対するある種の感覚(perception)をもっている。この感覚がわれわれに集合論の公理が正しいことを認めさせるのである。私はこういう感覚すなわち数学的直観が五感よりも信用できないという理由は一つもないと思う」という意味のことが書いてある[Kurt Gödel : What is Cantor's Continuum Problem ?, in Philosophy of Mathematics, op. cit., 258–273]。

ゲーデルの考えは、要するに、数学の対象はわれわれとは独立な実在であるとする実在論である。そしてわれわれはこういう数学的実在に対する感覚をもっている、というのである。数学は人間の創造的活動の産物であると考えるワイルとは正反対の立場である。ゲーデルの考えによれば集合は実在しているのであるから、連続体の濃度 $\aleph$ ははっきり定まっていることになる。ゲーデルと親交のあった竹内外史さんから聞いたところによると、ゲーデルは「連続体の濃度 $\aleph$ は $\aleph_2$ であると思う。なぜなら $\aleph$ が $\aleph_2$ に等しいとすると非常に美しい世界が展開されるから」といっていたという。

筆者はワイルの数学のスタイルが好きで、その論文も本も読んだものはよくわかったが、直観主義だけはどうしても理解できなかった。ヒルベルト空間が「安全」でないというのは納得できなかったのである。筆者は哲学の教養に乏しい単純な数学者で、ワイルやゲーデルの数学の哲学について議論する資格はないが、多年数学を研究してきた経験から、やはり、自然界が実在すると同様な意味で、数学的現象の世界というようなものが実在すると思うのである。筆者はいくつか定理を発見したが、それは筆者が考え出したものではなく、数学的現象の世界を這い回っているうちにたまたまそこに落ちていた定理を見付けたに過ぎないという感じがする。

(『数学セミナー』一九八五年九月号)

ウルフ賞の話

私は先日イスラエルへ行ってウルフ賞なるものを受賞した。日本ではウルフ賞は全く知られていないので、この機会にウルフ賞がどういうものか、賞の由来等について書くことにする。

ウルフ賞はリカード・ウルフ博士(Dr. Ricard Wolf)が私財を投じて設立したウルフ財団(Wolf Foundation)が毎年数名の科学者と芸術家に贈る賞である。

財団を設立したリカード・ウルフは一八八七年にドイツのハノーバー(Hannover)で生まれた化学者で、第一次世界大戦の前にキューバに移住し、二〇年近くにわたって溶鉱炉に残った残滓《ざんし》から鉄を回収する方法の研究を続けてついに成功した。その発明はその後世界中で用いられるようになり、ウルフはそれによって財を成したのである。

ウルフは人道的見地からキューバのバティスタ政権に反対してカストロの革命を支持した。革命に成功したカストロは一九五九年にウルフをイタリーのキューバ大使に任命した。その後ウルフは一九六一年にイスラエルのキューバ大使となり、一九七三年にキューバがイスラエルと国交を断絶するまでキューバ大使を務めた。ウルフは国交断絶後もそのままイスラエルに住みつき、一九八一年に亡くなった。

ウルフ財団の目的と運営の規則は一九七五年にイスラエルの国会で承認された「ウルフ財団法」によって定められている。その第五条によれば目的はつぎの通りである。

(1)科学のあらゆる分野とすべての芸術を奨励する。

(2)卓越した科学者と芸術家に国籍、人種、宗教、性別を一切差別せずに賞を贈る。

(3)イスラエルにおいて学生に奨学金を出し、科学者に研究費を支給し、大学と研究所を経済的に援助する。

この(2)の賞については第一二条によりつぎのように定められている。

(a)ウルフ財団は毎年ウルフ賞を贈る。その受賞式はイスラエルの国会議事堂で行われ、イスラエルの大統領が受賞者に賞を手渡す。

(b)ウルフ賞は毎年物理—化学—医学—農学—数学の五つの分野においてそれぞれ著しい仕事をして人類の幸福(welfare)に寄与した人に授与される。財団はまた理事会の承認を得て六番目の賞を芸術(音楽、絵画、彫刻、建築)における業績に対して与えることができる。

ウルフ賞は賞状と賞金で、賞金は各分野一〇万ドルずつとなっている。

ウルフ賞の受賞者は毎年新しく組織される委員会によって選ばれる。委員会は著名な科学者と各分野の専門家から成る。その選考の過程は絶対に秘密で、受賞者の名前と受賞の理由だけが発表される。委員会決定は最終的で、それを変えることはできないことになっている。

＊　＊　＊

ウルフ賞は一九七八年からはじまった。数学の分野の去年(一九八四年)までの受賞者は毎年二人ずつで、ゲルファンド(I. M. Gelfand, 一九一三、ソ連)、ジーゲル(C. L. Siegel, 一八九六、ドイツ)、ルレイ(J. Leray, 一九〇六、フランス)、ヴェイユ(A. Weil, 一九〇六、フランス)、カルタン(H. Cartan, 一九〇四、フランス)、コルモゴロフ(A. N. Kolmogorov, 一九〇三、ソ連)、アールフォース(L. V. Ahlfors, 一九〇七、フィンランド)、ザリスキー(O. Zariski, 一八九九、ソ連)、ホイットニイ(H. Whitney, 一九〇七、U.S.A.)、クライン(M. G. Krein, 一九〇七、ソ連)、チャーン(S. S. Chern, 一九一一、中国)、エルデイシュ(P. Erdös, 一九一三、ハンガリー)となっている。ここで( )内の国名は受賞者の生国を、数字は生まれた年を示す。

数学以外の分野については、去年までに物理でウー(C.-S. Wu, 一九一二、中国)、ウーレンベック(G. Uhlenbeck, 一九〇〇、オランダ)、ダイソン(F. J. Dyson, 一九二三、イギリス)、医学では分割脳の研究で有名なスペリー(R. W. Sperry, 一九一三、U.S.A.)、芸術では画家シャガール(M. Chagall, 一八八七、ソ連)、ピアニストのホロヴィッツ(V. Horowitz, 一九〇四、ソ連)、等が受賞している。受賞者の数は農学一一名、数学一二名、物理一四名、化学九名、医学一四名、芸術六名となっている。

聞くところによると受賞者の選考に当たってはノーベル賞を受賞した人は除くことになっている。数学のウルフ賞の受賞者がほとんど皆老大家なのは、一つには数学にノーベル賞がないためであろう。スペリーは一九七九年にウルフ賞を受賞し、一九八一年にノーベル賞を受賞した。このように先にウルフ賞を受賞し、後でノーベル賞を受賞した人が六人いるそうである。

＊　＊　＊

今年度の数学の受賞者がハンス・レビ(Hans Lewy)と私とに定まったという電報を受けとったのは去年の暮れであった。イスラエル副大統領からの正式な通知は正月になってから東京のイスラエル大使館で、大使ベンヨハナン氏から手渡された。今年度の受賞者は数学二名、物理二名、農学、医学、化学、芸術それぞれ一名、合計八名であった。

五月一二日の受賞式には家内の代わりに長女を連れて行った。七日の夜成田を発って北回りの日航でドイツのフランクフルトへ行き、そこでルフトハンザに乗り換えて八日の午後イスラエルのテル・アビブに着いた。乗り換えのときの検査はボディー・チェックがあり、カメラはレンズをはずして内部を調べる、という厳重きわまるものであった。なるほどどこういうふうにすればハイジャックは防げる、と感心したが、時間がかかるのが欠点である。

一一日の夜エルサレムのヒブルー大学でレセプションがあり、そこでハンス・レビに会った。八〇歳のハンス・レビはとても元気で、娘が「お元気ですね」というと、「皆さんそうおっしゃいます」という返事であった。健康法は散歩とピアノを弾くことだそうで、ピアノはずいぶん上手らしい。「自分で弾くだけで他人の演奏は聴かない」という。若いときに聴いた演奏が耳に残っていて現代の演奏はそのイメージに合わない。第一ピッチが昔よりも高くなっているのだそうである。六〇年前のピッチを憶えているとはすごい耳の持ち主であると感心した。

一二日の受賞式は予定どおり国会議事堂内の一室で行われた。西向きの大きな部屋で西日が差し、そのうえテレビのカメラマンがいくつも照明を持ち込んでいたのでひどく明るく、シャガールが描いた大きな壁画が実に綺麗に見えた。

ヘルツォグ(Chaim Herzog)大統領のスピーチがあった。スピーチはヘブライ語で、英語の同時通訳があった。筆者はイアホーンに慣れていないせいもあってよく聴きとれない所があったが、人類の幸福のための賞であることを強調されていた。続いて文部大臣イツァク・ナボン(Yitzhak Navon)のスピーチがあり、その後でわれわれ八名の受賞者は一人ずつ大統領から賞状と賞金(小切手)を手渡された。各分野一人ずつ短いお礼のスピーチをした。数学はハンス・レビがこのスピーチをした。それで式は終わりであった。

イスラエルの大統領は象徴的な存在で、しばしば学者が大統領になるという。今年の四月に日本国際賞を受賞したテル・アビブ大学のカツィール教授も大統領をしたことがあるといっていた。昔アインシュタインに大統領になってほしいと頼んだけれど、これは断られたそうである。

受賞式のあと晩餐会があり、そこでも何人かのお偉方がスピーチをした。その一人が「日本人はテクノロジーに優れ、ユダヤ人は数学に優れているが、日本でユダヤ人のカツィール教授がバイオテクノロジーで日本国際賞を受賞し、イスラエルで日本人の小平が数学でウルフ賞を受賞した。これはどうしたのだろう」と言って皆を笑わせた。

＊　＊　＊

帰りはイスラエル航空でロンドンへ行き、ロンドンで日航に乗り換えて一六日の夕方成田に着いた。イスラエルを発って成田に着くまで二二時間、一度も日が暮れなかったのでひどく疲れた。ロンドンの空港でも成田でも長い水平のエスカレーターに乗ったが、ロンドンのは床と手すりの動きが一致せず、手すりにのせたカバンが少しずつ先へ行ったが、成田では床と手すりが完全に一致して動いていた。ここにイギリスと日本のテクノロジーの差を見たような気がした。

（高校通信東書「数学」、一九八五年九月、第二五四号）

数学とは何だろうか

〈聞き手〉飯高　茂

数学との出会い

飯高　本日は、『科学』編集部の長い間の念願だったそうですけれども、小平邦彦先生をお迎えして、先生にいろんなことをお尋ねしたいと思います。高尚な数学の話から、先生の個人的なおつき合いとか、数学者に対するいろんな思い出、そういうことをみんなお尋ねして、みんな答えていただいちゃおうというわけなんです。

まず、はじめのころからおうかがいしたいんですけれども、先生が最初に数学というものを意識された、はじめて数学に「恋」をしたといいましょうか(笑)、数学との出会いというようなところから……。

小平　中学三年のころだったですかね。あのころ、教科書は代数と幾何とあって、二年、三年、四年分がそれぞれ一冊だった。数学の好きな同級生が一人いまして、この教科書の問題をやってみようというんで、はじからやっていったら、たちまち終わっちゃったんですよ(笑)。代数といっても、二次方程式と因数分解ぐらいでしょう。そのへんから始まったんです。それから数学を勉強しようと思って、藤原松三郎著『代数学』を買ってきた。

飯高 あの本の第一巻は、古典的代数方程式論や不変式で、第二巻でガロア理論を伝統的な仕方で展開し、行列を論じておりましたね。大量の演習問題と諸定理が沢山でていて、楽しい読物にもなりうる大著といえると思いますが、私はもちろん数学科にきて初めてみたにすぎません。あの一巻、二巻ですか。

小平 そうです。しかしそのどこをどう読んだかは記憶がはっきりしない。最初に自然数系の公理の話が出ていますね。あそこを一生懸命読んだのを覚えています。つぎに二次剰余の反転法則の高木先生の証明を勉強した。それもよく覚えています。それから先がはっきりしないんですが、連分数を勉強したような気がする。連分数は割合に詳しく知っていたという記憶があるんですが、高校でも大学でも連分数を勉強した覚えはないから、中学生のとき勉強したんじゃないかと思うんです。それからガロアの理論を一生懸命勉強したけれどもよくわからなかったのを覚えていますが、あれは二巻でしょう。

飯高 二巻ですね。

小平 そのへんのところがおかしい。二巻まで読めるわけないと思うんだけど、途中をとばして読んだかしら……。中学校の図書室に竹内端三著『高等微分学』があったけれど、高等なむずかしい数学だろうと思って敬遠しました。「高等微分学」が「高等学校のための微分学」であることを知らなかったんです。

飯高　それは先生が中学生のころですね。

小平　ええ、中学の三年か四年のころですね。

飯高　そしたら中学の数学の授業は、つまらなくてしかたがなかったんじゃないですか。

小平　いえ、むしろ息抜きになって楽しかったですね。ほかの学科はできなくて、英語とか漢文とか、ぜんぜんわからなかった。その上僕は声が小さくて叱るから、当てられるとうまく答えられなくてひどく叱られた。だから当てられないように小さくなっていました。数学の時間だけはその心配がなかったのでね。僕は発育不良だったんじゃないかと思いますね。小説なんか読んでもわからなかった。漱石の『吾輩は猫である』を読み始めたけれど、わからなくて途中で放り出してしまいました。

飯高　それで高校はどちらですか。

小平　一高です。

飯高　当時の一高の数学の先生にはどんな方がいらっしゃったのですか。

小平　そうですね。一年のときは渡辺秀雄先生、三角法を習いました。おそろしく厚い三角法の本を……。二年と三年は荒又秀夫先生。

飯高　一高へは中学四年から入ったのですか。

小平　いや、僕は怠けものだから、四年のときは受けなかった(笑)。中学校の先生に、受けろ、受けろって勧められたんだけど、いやだっていって……。

飯高　一高に入ってから、数学、物理はどんな風に勉強をなさったわけですか。

小平　岩波講座『数学』を読んだり、それから高木貞治先生の『初等整数論講義』も読んだような気がする。それから正田建次郎先生の『抽象代数学』。あれはわからなかったですね。第一、単語がむずかしくてね。

数学科、そして物理学科へ

飯高　それで、大学に入って本格的に数学の勉強をされるわけですけれども、数学科に進学する動機は一体何だったのでしょうか。好きだけじゃ、なかなかいかないんじゃないかと思うんですが。

小平　結局、数学か物理かどっちかってことになったんですね。たまたま気象学者の藤原咲平先生、あの方がおやじと同郷で、よく知ってたんです。そして先生の御長男と中学校で同級だった。中学校の四年ごろかな、伊豆方面で大きな地震があったんですよ。地震のあと、藤原先生が調査にいくときに、どういうわけか僕ら二人ついていったんですね。のんきなもんですね。旅費も気象台から出たんでしょうね。箱根の離宮の中に八尺ぐらいの高さの断層ができていたりしてね。おもしろかった。その藤原先生が、まあ、いまから藤原松三郎の『代数学』を読むようでは大学は数学か物理でなきゃだめでしょうっていわれた。ほかの学問じゃ満足しないだろう……。

飯高　なるほどねえ。

小平　物理だと、入試に化学があったんですよね。それはかなわないから、数学にしたというわけです。

飯高　数学科に入ると、将来どうなるかと考えませんでしたか。食いはぐれるんじゃないかとか……。

小平　あんまり心配しなかったですね。そのころ、数学科にいくっていうと、たいていおやじに怒られたそうですがね。弥永昌吉先生もだいぶ怒られたらしい。うちのおやじはなんにもいわなかったから、なんとかなると思ってたんでしょうね。

飯高　その点、いまの親とは違うようですね。いまですと数学やりたいなんていったら、何年でもやらしてやるから、ぜひぜひがんばってやれ。子供の才能を伸ばすのは親の義務であると率直にいっている親が多いですね。

小平　その当時はそうじゃなかったですね。数学じゃ食えないぞ、といって怒られた。

飯高　戦前の大学ですから、一年から数学だけというわけでしたか。

小平　そうです。力学が必修でありましてね、あとは数学だけでした。

飯高　一年生のときの数学科の講義にはどんなものがあったのでしょうか。

小平　まず高木貞治先生の解析概論、それから力学ですね。力学は寺沢寛一先生だったたと思う。力学演習というのがたいへんだったんです。午後一時から六時ごろまでやらされた。それから末綱恕一先生の代数学、中川銓吉先生の解析幾何。

飯高　立体解析幾何が主ですね。

小平　ええ、三次元空間内の二次曲面ですね。あれは不思議なものでしたね。二次曲面を一年間やったんです。ちょっと考えられないでしょう(笑)。むずかしい演習問題がいっぱいあって……。

飯高　おもしろかったですか。

小平　いやあ、つまらなかったですね。適当にサボッた。中川先生だけがにが手でしたね。中川先生は、試験が全部できてもいい点くれないんです。演習をサボッたというんで。

飯高　力学演習の五時間というのは、相当なもんですけど、その間ずっと解いてるわけじゃないでしょう。

小平　ええ、先生は問題出してどっかへ消えちゃうんです。そうすると、われわれも第二食堂へいってアイスクリーム食べたりなんかしてね(笑)。

飯高　力学というのは、むずかしい問題をいろいろ出せるはずですが、先生はだいたい解かれたんですか。

小平　いやあ、できなかったですね。なにしろむずかしいんだもの。あとで聞いたら、問題出した先生もたいへんだったんですって(笑)。

飯高　いまは力学演習は、大学二年の後半でやりますけれども、僕らのときもむずかしい問題が多かったですね。力学演習だけは、一生懸命やった記憶が強いんです。二年生のときはどんなのがあったんでしょう。

小平　二年のときは掛谷宗一先生の微分方程式、竹内端三先生の関数論、それと流体力学があったような気がする、寺沢先生の。そんなものじゃなかったかしら。

飯高　専門が決まるのは三年生のときでしたか。

小平　そういうわけですね。

飯高　いまでいう数学輪講でなにか本を読まれたわけですか。

小平　アレキサンドロフ－ホップの『トポロジー』だという話なんだけれども、僕、覚えていないんですよ(笑)。とにかくアレキサンドロフ－ホップの『トポロジー』を勉強したことはよく覚えてますけど、三年のゼミのために勉強したって記憶はないんですがね。

飯高　あの本は、僕のころまでちゃんと役立っていた本ですからね。二年の終りぐらいかな、あの本を買って読み始めたとき、位相の定義があまりにも単純なので、かえって非常にむずかしかったのを覚えています。

小平　あれはていねいな本ですね。

飯高　最初だけわからないんですが、そこを我慢すると、あとわかってくる。あの本を読めば自然にトポロジーの専門家になりそうなものです。

小平　ええ。トポロジーの論文を一つ書きました。

飯高　だけど、あのころの小平先生はどうやってセミナーをなさったかわからないとおっしゃるくらいなんで、ほかの本をいろいろ読まれたんですね。

小平　二年のとき、ドイリングの『アルゲブレン』を読みました。三年のゼミは末綱先生について、代数をやるつもりだったんですよ。河田敬義さんと一緒に末綱先生のお宅に伺ってお願いしてきたんですけどね。そしたら先生から手紙がきて弥永先生について幾何をやったらどうですっていうことで……。

飯高　そのときのセミナーで、一緒に本を読んだ人はいらっしゃいましたか。

小平　伊藤清さんと木藤正典さんです。伊藤清さんは確率論の本を読んだと思います。僕は昔、代数をよく知ってたんですけれども、いまは全部忘れました(笑)。

飯高　しかし、ウェーバーに比べてドイリングのほうは、かなり整数論の趣味の強い本ですね。ドイリングで勉強されたら、整数論の道を歩まれた可能性も出てきたかもしれません。歴史に「if」は許されませんが、これはちょっと興味ある「if」ですね。アレキサンドロフ－ホップ以外の本で読まれたのは何でしょう。先生が帰国されたころ、ネバンリンナ理論を一般化して高次元多様体に応用するという仕事(論文[Holomorphic mappings of polydiscs into compact complex manifolds])をなさいました。そのネタは、学生のころ読んだネバンリンナの黄表紙本だったのでしょう。

小平　ええ、あれは読んだらしいんです。開けてみると、線がいっぱい引いてあるから(笑)。それからクーラント－ヒルベルトは読んだ。物理に入ってからでしょう。その二巻が偏微分方程式論ですね。これを読んだら偏微分方程式が解けるようになると思って、一生懸命読んだけど、どこまでいってもちっとも解けるようにならないんで、がっかりしたのを覚えています。それからヒルベルト空間は、僕はずいぶん勉強しましたね。

飯高　ヒルベルト空間で、前に大きな論文を書かれたことがありますね。

小平　ええ、紙上談話会に作用子環の論文を書きました。

飯高　紙上談話会というのは、何なんですか。

小平　あれは、なにを書いてもよかったんですね。ちょっと何か思いつくと、すぐ書いて出していました。

飯高　どっかに事務局があって、そこへ送ると印刷してくれるというシステムにでもなっていたのですか。

小平　そうです。大阪ですね。あのころだから、謄写版で、その原版はみんな手で書いていた。大変な労力だったと思います。

飯高　南雲先生たちでしょうかね。

小平　誰だったかな。あの論文は惜しいことをしました。英語で書いておけばよかった。

飯高　可約の場合への一般化でしたね。

小平　ええ、僕がアメリカへいったときは、まだだれもできてなかった。あれは、フォン・ノイマンの論文をそっくり訳すと、そのままできちゃうんですよ。

飯高　それはまたうまい話ですね(笑)。

小平　あんまりそっくりだから、どうもバカらしいような気がして。ノイマンの理論を既約という仮定を落として全部やり直すと、自然にできちゃう。

飯高　自然にというのが実は難物なんです。先生が自然にできたといわれることも、簡単にできたということでは決してないことだと思います。自然な、無理のない着想がそれこそ「自然に」できるところが非凡な才能のなせるわざなのでしょうけど、まあこういっても役にはたちませんからやめます。ところで、数学科を卒業された後で、物理学科に再入学なさっているのはどういうわけだったのでしょうか。

小平　あのころ、いろんな本があったでしょう。ワイルの『空間・時間・物質』とか、ファン・デル・ヴェルデンの『群論と量子力学』とか、だからますます物理と数学に関係がつくであろうと思ったんです。もう一つ、いま風にいえば、モラトリアム人間ということですね。

飯高　えっ、それはどういうことですか。

小平　卒業を延ばそうという……。近頃は留年で延ばすんだけれども、そのかわり僕は物理へいって延ばした。

飯高　現今の留年好きの学生がきいたら大喜びしそうな話になりましたが、多分動機は大違いでしょう。先生の場合は数学や理論物理の世界に没頭し、ここに沈潜し続けることを希求したためといえるのだと思います。それにしても、数学科と物理学科を合わせて六年間ですから。この間の学問的蓄積ぶりというのは大変なものだったでしょう。ちょっと、こわいような溜息の出る話ですね。

小平　そんな大したことではなく、卒業するのをサボッただけなんです。僕は生れつき怠けもので、どうしてもしなければならない仕事を後回しにして自分のやりたいことを先にする悪い癖がある。結局は仕事が溜ってひどい目に会う。仕事の方を先に済ませたらさぞせいせいするだろうと思うのですがどうしてもそれができない。卒業を延ばしたのも、中学四年で高校を受験しなかったのも、みんなこの悪癖のせいなんです。

飯高　先生の最初の論文[Über die Struktur des endlichen, vollständig primären Ringes mit verschwinden dem Radikalquadrat]は、有限非可換環の分類を考察した抽象代数の論文ですね。あれは数学科の学生のころですか。

小平　ええ、二年生のときです。代数を勉強した結果ですね。

飯高　ところで先生の論文リストを眺めてみますと、一九三七年、三八年、三九年、四〇年のころに数学の比較的短い論文を合計八篇書いておられますけれども、それはどうも、大学の物理学科の学生のときのことになりますね。

小平　そうです。

飯高　そうすると物理学の学生としては、あまり勤勉じゃなかったんじゃないかという気がしますが……(笑)。

小平　ええ、勤勉である必要がなかったのですね。当時の東大の理論物理は物理数学的色彩が強く、必修科目のいくつかは数学でしたし、それに量子力学にしても相対論にしても物理の学生が苦労するのはその数学的部分ですからね。その上いくつかの科目は担当の先生にお願いして試験を免除して戴きました。試験を免除した学生の試験の成績はどうやってつけたのか、今考えると不思議ですが……。この論文[Über die Beziehung zwischen den Massen und den Topologien in einer Gruppe]は物理の三年のときに書いたんです。群演算が可測となる群の上の測度が群の位相を定めることを証明した論文です。

飯高　いちばん最初の長いのですね。そのころ物理ではどういう方と一緒でしたか。

小平　学習院大学の大川章哉さん、木下是雄さん、それからカリフォルニア大学の加藤敏夫さん……。

「グレート・ワーク」の始まり

飯高　物理学科を卒業してからは……。

小平　物理の研究嘱託というのになったんです。月給七〇円ぐらいもらったんじゃないかしら。

飯高　それから先生はまもなく、助教授になられたわけでしょう。

小平　文理大の数学の助教授です。それから二年後に東大の物理の助教授になりました。

飯高　文理大が昭和一七年ですね。ちょうど僕が生まれたころになるわけですが(笑)。そのころ、現在の仕事に直接つながってくる調和テンソル場の仕事ができかかってたころじゃないでしょうか。学士院紀要に報告論文[Über die Harmonischen Tensorfelder in Riemannschen Mannigfaltigkeiten, (I), (II), (III)]が出たのが、一九四四年です。同じころに、微分方程式の境界値および固有値問題でこれもわりに有名になった仕事[Über die Rand- und Eigenwertprobleme der linearen elliptischen Differentialgleichungen zweiter Ordnung]、この二つを同時になさっていますが、とくに調和テンソル場の仕事をとり上げられたきっかけは、どうでしょう。

小平　きっかけは一九四〇年の『Duke Math. J.』に出たワイルの直交射影の方法の論文ですね。その前からワイルのリーマン面の理論の n 次元への拡張に関心があって、ド・ラームの一九三八年の多重積分に関する論文、ホッジの『Proc. London Math. Soc.』に出た調和積分に関する論文、などを読んでいたんです。ホッジの論文はむずかしくてわからなかったんですが、ワイルの論文を読んで、直交射影の方法を使えば n 次元への拡張ができそうだと思って始めたんです。

飯高　なるほど。そのころはかなり戦争のひどい時代ですが、その中で先生はずっと数学の論文を書かれていた。戦争中でも外国の数学の雑誌はだいたい順調にきていたのでしょうか。

小平　いや、ぜんぜんこなかったですね。ただ一つの例外はハイゼンベルクのS行列の論文。僕は最近まで知らなかったのですが、去年みすず書房から出た『回想の朝永振一郎』の山口嘉夫さんのスピーチによると、この論文は戦争中ドイツから潜水艦で運んだのだそうです。その㊙の論文が朝永先生のところにいって、それを終戦の翌年、僕の研究室の物理のゼミで勉強した。

飯高　そうですか。それは驚いたな。潜水艦でいろんな機密資料からチャンドラ・ボースまで運んだというのは、有名な歴史の秘話ですけれども、ハイゼンベルクの論文まできたとは知らなかった。ともかく、潜水艦の論文がきっかけとなって先生の研究が進むわけです。その結果、具体的に論文となったのは、どれでしょうか。

小平　ここに出ているわけですね。

飯高　なるほど。一九四九年『Amer.J.Math.』に出たS行列に関する論文［The eigenvalue problem for ordinary differential equations of the second order and Heisenberg's theory of S-matrices］、これがそうですか。ところで、調和テンソル場の方は戦争中、学士院に短い報告をいくつか出されたわけですが、それが戦後に、外国の雑誌に本論文が発表されるようになったわけですね。論文[Harmonic fields in Riemannian manifolds(generalized potential theory)]はリーマン多様体上の調和テンソル場で副題は「一般化されたポテンシャル論」、これはのちにワイルによって「グレート・ワーク」と称せられて、はなはだ著名になった論文ですね。あれは昭和二四年に発表されているんですが、書かれたのはいつだったのですか。

小平　終戦直後ですね。諏訪に疎開してたのですけど、長男がネフローゼという難病にかかって、上諏訪の日赤病院に長いこと入院していたんです。その病室のすみっこで南京虫に悩まされながら論文の最後のページを書き上げたのを覚えています。

飯高　外国との交流はなく、雑誌もこないというようなときに、一般化されたポテンシャル論というようなアイデアは、どういうきっかけで生まれたのでしょうか。

小平　別に大したことはないんで、ワイルのリーマン面を n 次元に拡張しよう、という考えを実行しただけです。論文の中心を成すのは双極ポテンシャルの存在定理ですが、ユークリッド空間における双極ポテンシャルは物理数学での常識でしたし、一般相対論における電磁場は時空における調和テンソル場ですから、特に新しいアイデアというわけではないのです。ワイルのリーマン面の本の第一部はトポロジーですが、その程度のトポロジーは当時 n 次元多様体についても全部できていたわけでしょう。そうすると第二部のポテンシャル論だけを拡張すればいいわけですから、あの本の通りにやれば自然にできてしまう(笑)。途中の計算は面倒ですけどね。

飯高 しかし、やってみなければできるかどうかわからない計算じゃないでしょうか。

小平 あの頃はそういうことは心配しなかったですね。べつに、できてもできなくてもよかったんです。戦争がひどくなって先のことは全然わからなかったし、それに今みたいに、論文がないと助教授にしないなんて、しみったれたことはいわなかったから……(笑)。物理教室に入ってから、教室の人事の会議がありましたが、黒板に数人の候補者の名前書くだけで、論文のリストなんか配らなかったですね。先生が、この人はとてもよくできますって、チョコチョコッとしゃべると、じゃ、助教授にしましょう、そんなものでした。

飯高 それは、しかし実質的な会議ですね。今は形式的な疲れさせるための会議が多いから。

小平 人数が少ないから誰がどういうことをやっているか、お互いによく知っていたわけですね。

飯高 文理大では数学の助教授、東大では物理学の助教授、それで併任ですか。

小平 ええ。

プリンストン高級研究所

飯高 それから戦後数年してアメリカに出かけられたわけですが、いくきっかけはなんでしょうか。

小平　ワイルから招待状がきたんです。調和テンソル場の論文、戦後の混乱でそのままになっていたのですが、一九四八年になって角谷静夫さんが知っている進駐軍のアメリカ人に『Annals of Math.』に送るように頼んでくれたんです。ワイルがその論文をみて僕をよんだんですね。船でサンフランシスコまで二週間かかりました。オッペンハイマーに招待された朝永先生と一緒でした。

飯高　そのころのプリンストンの高級研究所の印象はいかがでしたか。

小平　なにしろえらい先生ばかりで桁が違うという印象でした。いまと違ってパーマネント・メンバーというのが、教授という名前のついた大先生とただのパーマネント・メンバーとにわかれていたんですよ。いまはそういう区別はないでしょう。数学ではワイル、ジーゲル、ベブレン、モース、ノイマンが教授、ゲーデル、セルベルグ、モンゴメリー、アレキサンダーがパーマネント・メンバーでした。それからアインシュタインがいました。アインシュタインとゲーデルが一緒に散歩しているのをよく見掛けました。

飯高　生活難の日本からアメリカへいったときは、楽しかったんじゃないですかね。

小平　ええ、日本ではろくに食べるものもなかったのですから、はじめは嬉しかったんです。でも三カ月もたたなかったですね。三カ月でアメリカの食べものに飽きて日本食がたべたくなりました。飽きなかったのは生牡蠣と生の蛤だけでした。

飯高　いまの人は三日ともたないようですね。いって最初、ステーキの大きなのが比較的安く食べられますから、一回それを食べると、二回目は食べられなくて、早く日本に帰りたいという。

ところで、プリンストンでの最初の数学的な活動というのは、どんなことだったんでしょうか。

小平　プリンストン大学のスペンサー指導のゼミで毎週一回調和テンソル場の話をしました。それが最初ですね。ワイルは僕があんまり英語が下手なのでちょっと驚いたらしく、二学期になって英語がうまくなったらゼミでしゃべってもらう、とかいってニコニコしていました。二学期になってはじまったワイルとジーゲル指導のゼミで話したのが論文［Harmonic integrals, Part II］です。

飯高　ワイルってどんな人なんですか。

小平　想像していたのとぜんぜん違いましてね。まんまるな顔をして、いつもニコニコしていて、円満なゼントルマンという感じでした。大きな人でね。背が高くて太っていて。後に英語がわかるようになってから気がついたんですが、ワイルは正直な人で、自分の考えを胸の中にしまっておくことができなかったらしく、辛辣なことをニコニコしながら平気でいいましたね。大分後になりますが、研究所の食堂で皆で昼食をとっていたときに、僕の隣にいた若い数学者が、「今日は小平の四〇歳の誕生日です」といったんです。そうしたらワイルが僕に向かって曰く「私のみるところでは数学者はまず三五歳までである。君も急がなければ(you'd better hurry)」。これは大変なことになったと思っていたら、ワイルもちょっといいすぎたと気づいたらしく、「例外はあるけれど」と付け加えました。

飯高　ワイルは、リーマン面上での関数の存在を証明するにはヒルベルト空間を使うべきでないと考えていたという話でしたね。ワイルは、数学と哲学の大変難解な本を書いていたりしていますから、何か深く悩むところがあったのだろうと想像されるのですが、会ってみるとワイルはニコニコしていて深刻な印象はないのですね。彼の数学観について何かお話していただけますか。

小平　ワイルから直交射影の方法はよくない、という話を聴いたのは調和テンソル場の論文の別刷を進呈しようと思ってワイルのオフィスにいったときなんです。「自分は古いかもしれない(I may be old-fashioned)が、直交射影の方法はよくないと思う。君の論文も直交射影の方法を使わない形に書き直した方がよい」といわれたのはショックでした。ワイルから数学観らしいものを聴いたのはこのときだけですが、彼が書いたものを読むと、ゲーデルの不完全性の定理によって数学が無矛盾である保証がなくなった以上は数学をあまり一般化すると矛盾を生じるかもしれないと本気で心配していたようですね。

飯高　あのころの数学から物理にかけてワイルは偉人だったわけですが、ジーゲルも数学界ではたいへんな人ですね。ジーゲルはどうなんでしょう。相当勤勉な数学者というのが彼の著作での印象ですけれども。

小平　勤勉だったらしいですね。僕がジョーンズ・ホプキンスにいたとき、ジーゲルがきて談話会で話をした後、皆で夕食にいったのです。そのときジーゲルが何げなく、「朝九時ごろから数学の勉強をはじめて夢中になって、ハッと気がつくと夜中の一二時になっていることがある。そういうときに一日分まとめて夜中に食事をすると、どうも胃の調子がおかしくなって困る」といったので、僕はこれはかなわない、とうてい常人の及ぶところではないと思いましたね(笑)。ジーゲルは体重一一〇キロもある大きな人で、一生独身で家族がいなかったのです。ジーゲルですごいのは、講義のとき、絶対にノートをもってこないんですね。どんなむずかしい式も全部、頭に入っている。あれは不思議ですね。

飯高　つかえることはないんですか。

小平　絶対につかえない(笑)。僕がプリンストンにいった年には、三体問題の講義をしていましたよ。一学期毎週三時間、ぜんぜんノートなしで。

飯高　計算違わないんですか、書いていて。

小平　絶対違ったりしない。一時間しゃべるのに六時間ぐらいかけて準備するんだとかいう話でした。ジーゲルの講義は非常にわかりやすいんです。その上時間のはじめに、一五分ぐらいかけてちゃんと前の時間の復習をやるんですよ。だから全部わかっちゃう。

研究所では大学と違って、相手が一人前の数学者ですから、毎年関数論の講義をする、というようなわけにはいかないんですね。ジーゲルは毎学期全く違う講義をしていました。三体問題の前がアーベル多様体の講義、つぎの学期は整数論の講義でした。こういう芸当ができなければプリンストンの研究所の教授になれない(笑)。なるほど高級研究所というのは大変な所だと思いました。

飯高　ところでもう一人のワイル、アンドレ・ヴェイユとは、どこでお会いになったんですか。

小平　翌年、一九五〇年の夏休みにシカゴで、ひと月暮らしたんです。岩沢健吉さんと一緒でした。ヴェイユはとても親切でしたよ。若い人に親切なんですってね。いろいろ教えてもらいました。そしていろいろ問題を出された。

飯高　どんなことなんでしょうね。あのころだと、幾何、とくに多様体かな……。

小平　論文[The theorem of Riemann-Roch on compact analytic surfaces, Amer. J. Math., **73**(1951), 813-875]の§2はヴェイユに教えてもらったんです。代数曲面の有限被覆面は代数曲面であることを証明せよ、という問題を出されたのを覚えています。ヒルツェブルッフのリーマン-ロッホの定理の右辺のトッド種数もはじめヴェイユが教えてくれたのです。ヴェイユ先生はかんしゃくもちでね。

飯高　どんなとき爆発するんですか。

小平　それが予測できないんで、おっかないんですよ。たとえばみんなでお昼食べにいこういうことになって、シーガルっているでしょう、彼がどっか街のレストランへいこうっていったら、怒りだしちゃったんですよ。なんでそんなぜいたくするんだ。学生食堂でいいじゃないかって……。先生は普段は御馳走を食べるのが好きなんですけどね。一貫しないから困るんです(笑)。

飯高　そのころは、リーマン－ロッホの定理のいろんな定式化および証明というのが引き続いて、それから解析曲面論で基本的な仕事、すなわち二個の代数的に独立な有理型関数の存在するとき、そのケーラー曲面は代数的になることの証明があります。あれはチャウ(周)との共著論文[On analytic surfaces with two independent meromorphic functions, Proc. Nat. Acad. Sci. USA, **38** (1952), 319–325]でしたね。

小平　チャウと二人でお茶飲んで話しているうちにひょっと気がついたんです。

飯高　それの証明は、基本的にはケーラー曲面上のリーマン－ロッホの成功が基礎だったんじゃないですか。

小平　そうなんですね。

「グレート・ワーク」の時代

飯高　それからこのころの論文では、スペンサーとの共著がかなりめだってきますが。

小平　スペンサーは、プリンストンへきてからこういう種類の数学をはじめたのだそうです。それまでは、一変数関数論のなんとかいう有名な問題を……。

飯高　ビーベルバッハの係数問題ですね。

小平　学生のときは解析的整数論ですね。イギリスにいって、指導教官は有名なリットルウッド。アメリカに帰るときリットルウッドが駅まで送りにきて、「やめるなよ」といったそうです。それから一〇年間、ビーベルバッハの問題をやって、プリンストンにきて複素多様体を始めたんですね。

飯高　思いきって全く変わったことを、これは大事な分野だと思って始めるところがスペンサーらしいですね。

小平　そうなんですね。よくわからないけれど調和テンソル場というのは重要らしいと思って始めたんだといっていました。学生になったつもりで勉強したらしい。

飯高　このころ、解析的層の理論が入って、コホモロジーの消滅定理が定式化されて、あざやかに証明されるわけですね。

小平　僕ははじめは、シーフ(sheaf, 層)ってなんだかわからなかった。これもスペンサーなんです。なんでもいいからシーフのゼミをやろうって……。カルタンのノートを読んで、はじめさっぱりわからなかったけど、論文[On arithmetic genera of algebraic varieties (collaborated with D. C. Spencer), Proc. Nat. Acad. Sci. USA, **39** (1953), 641–649]で代数幾何に使えるということがわかったわけです。

飯高 それまでの調和積分とかカレントに比べて、はるかに簡単でありながら自由自在に役立つということですね。定義をみると、たいしたもののはずはないんですが……。調和積分なんかの方が、立派に見えるんですけれどもね。

小平 不思議ですね。どうして役立つかわからない。ザリスキーも不思議がってましたね。

飯高 一九五二、五三、五四年というのは、先生の論文が非常に多くなる時代ですね。毎年一〇〇ページぐらいの論文が出ております。リーマン－ロッホができて、消滅定理ができて論文[On a differential-geometric method in the theory of analytic stacks]、それからホッジ多様体は射影的になることの証明ができて論文[On Kähler varieties of restricted type(an intrinsic characterization of algebraic varieties)]……。このころ、ずっとプリンストンでしょうか。

小平 そうです。

飯高 一九五七年にはヒルツェブルッフとの共著の論文[On the complex projective spaces]がありますね。

小平 これはだいぶ前からできてたんですよ。ヒルツェブルッフがリーマン－ロッホを一般に証明したでしょう。一九五三年かな。それからホッジ多様体が代数的になることの証明ができて、この二つを組み合せればできることは、そのころからわかっていたんですけどね。そのうちに共著で論文を書こうということになっていたけれど二人ともちっとも書かない。そうしたらある日ヒルツェブルッフがなんでもいいからともかく半分ずつ書いてつぎ合せて出そうっていったんです(笑)。

飯高　そうすると、前半がヒルツェブルッフですか。でもどこで切れているかわかりませんね。

小平　ええ。後半が僕です。全く独立に書いてつぎ合せたんです。

飯高　そうですか。ぜんぜんわからないな。当時のヒルツェブルッフはまだ若いパリパリだったでしょうけれども、どんな印象でしたか。

小平　彼がプリンストンにはじめてきたときには、あまりものを知らなかったですね。スイスのホップのところで現在ヒルツェブルッフ曲面とよばれる有理曲面のことをやっていたんですが、それ以外のことはなんにも知らなかったようです。

飯高　そういうなにも知らない人のほうが、かえってあざやかな仕事をするのかもしれない。

小平　ええ。そうかもしれませんね。ヒルツェブルッフはプリンストンにきてからチャーン類の多項式の研究をはじめて、わずか一年と二カ月で有名なリーマン－ロッホ－ヒルツェブルッフの定理を証明したんです。

飯高　それからしばらくして一九五七年に複素構造の変形理論という有名な長い仕事が

始まりますね。現代では変形理論は代数幾何の世界で一つの思想的な柱になって、これなしでは通じないというぐらい、基本的な概念として定着しておりますが、出たのはこれがはじめてですね。これはどうしてお考えになったんでしょう。

小平 どうしてっていわれても困るんだけど、はじめは本気じゃなかったんですよ(笑)。

飯高 本気じゃないって話をまに受けて聞くわけにもいかないんですけれども……。

小平 コンパクト複素多様体Mは要するに有限個の座標近傍を貼り合せてつくったものだから、その貼り合せ方を変えるのがMの変形である、というのはいいんですね。そうするとMの無限小変形はMの正則ベクトル場の層Θを係数とする一次元コホモロジー群$H^1(M, \Theta)$の元で表わされることになる。そこまではまあいいんですが、その先が妙なことになったんです。Mの定義には普通いくつかの未定のパラメータが組み込まれていてパラメータを変えるとMの形が変わる。そこでMの手近な具体例について$H^1(M, \Theta)$の次元を計算してMのパラメータ数mと比べてみたんです。そうすると$\dim H^1(M, \Theta)$とmが一致するんですね。ちょっと考えると$\dim H^1(M, \Theta)$の方がmよりもはるかに大きいはずなのに実例について計算してみると

$$\dim H^1(M, \Theta) = m$$

となってしまう。どうも話がうますぎる。早く反例をみつけて終りにしようと思いましてね。いろいろな例について計算してみたんですが反例がみつからない。この辺から本気に

なったんです。スペンサーははじめからもっと積極的でしたけど。変形の一般論を考えたり複素多様体のいろいろな例についてその変形の様子を調べたりした結果をまとめたのがスペンサーと共著の論文[On deformations of complex analytic structures, I-II]です。

飯高　一二八ページある膨大な論文ですが……。

小平　だいたい一年ぐらいで書いたんじゃないかな。

飯高　これだけの研究をするには、それなりの相当な時間がないと……。このころ、どんな生活だったんですか。

小平　高級研究所と大学と半々に属してましたね。つまり毎年半年は研究所で半年は大学なんです。

飯高　大学では、講義をなさっていたわけですか。

小平　そう。大学では一コマ講義していました。研究所はぜんぜん義務なし。そんなところだったと思います。スペンサーはちゃんと二コマ講義してました。

飯高　セミナーはなかったんですか。

小平　セミナーはやってましたね。ナッシング・セミナーです。

飯高　そうですか。そのころからあったんですか。いや僕がプリンストンにいたころにも、ナッシング・セミナーがありました。グリフィスが主宰して一三階に集まり、ワインを飲みながらやっておりました。

小平 これもスペンサーの発案なんですが、ナッシング(nothing)というのは何にも予定しない、という意味なんです。ともかく週一回集まる。そして気の向いた人が何か話をする。アンドレオッティとかグラウェルトとかがよくきていました。

飯高 そのころ、解析曲面に関する論文も多く書かれていますね([On compact analytic surfaces, Analytic Functions, Princeton Univ. Press, 1960, 121–135], [On compact complex analytic surfaces, I], [On compact analytic surfaces, II–III])。有理型関数が少ない場合の研究や楕円曲面のことなどというのが目立ちます。こういう研究のきっかけはなんだったんですか。

小平 論文[On compact analytic surfaces]が一九五七年の解析関数に関するコンファレンスにおける講演ですから、楕円曲面論はそのころもうできていたわけです。きっかけははっきりしないけれども、ともかく井草準一さんの予想というのがあったんです。コンパクト複素多様体は代数多様体と複素トーラスから組み立てられているという……。

飯高 それしか知られていなかったから大胆にいえたのでは?

小平 そうでしょうね。ともかくこの井草さんの予想が正しければ、代数的に独立な有理型関数が一つしかない解析曲面は楕円曲面になるはずです。そのつもりで独立な有理型関数が一つしかない曲面の構造を調べてみたら、予想通り、楕円曲面になった。楕円曲面とわかれば、楕円関数論という昔からの道具があるから、それを使ってコツコツと構造を調べていけばいいんですから……。

飯高　昔からの道具に加えてわりに新しいコホモロジーやシーフが非常に有効に役立って非常に鮮やかな理論展開がなされておりました。それから非ケーラーな場合、一般型の場合などの研究が続きますね。([On the structure of compact complex analytic surfaces, I, II, III, IV, Amer. J. Math., **86** (1964), 751–798 ; **88** (1966), 682–721 ; **90** (1968), 55–83, 1048–1066], [Pluri-canonical systems on algebraic surfaces of general type])。このような論文リストを眺めてみると、ひとことでいって、ワイルの“Die Idee……”に書かれたものがごく自然に一般化されてきたといえるようです。まず関数の存在問題があります。これは調和テンソル場の存在を示した論文[Harmonic field in Riemannian manifold (generalized potential theory)]や、ホッジ多様体が代数的になる証明[On Kähler varieties of restricted type (an intrinsic characterization of algebraic varieties)]で考えられ一般に解決されます。リーマン－ロッホの定理がいろいろな角度から取り扱われ、極めて有用な定式化と証明に成功しています([The theorem of Riemann-Roch on compact analytic surfaces], [Some results in the Transcendental theory of algebraic varieties], [On compact complex analytic surfaces, I]など)。それに基づく多様体の構成の研究が二次元の場合典型的かつ規範的に行われ、そしてリーマン面のモジュラスの問題が、骨太く一般化され変形理論として結実したわけです。見やすいストーリーではありますね。

小平　結局、ワイルのリーマン面を高次元に拡張しようとしたわけです。

飯高　一九六六年の夏休みに先生はスペンサーと一緒に一時日本に帰られて、僕ら、えらい先生と楽しく話せたもんですから、たいへん喜んでおりました。そして翌年いよいよお帰りになったわけですね。これは感謝しても感謝しきれないことなんですが、先生が戻られたころは、数学の話を直接なさるというより、それは僕らが聞かなければそういう話はなくて、日本とアメリカにおいていろいろ考えられたことの話の方が多かったですね。たとえば現代音楽は、古典音楽に比べてみると、明らかに退歩しているんじゃないかとか……。

小平　現代音楽というのは、ぜんぜんわからないんだけど……。

飯高　アメリカでは聴かれたんじゃないですか。

小平　聴きました。プリンストン大学に、音楽部というのがちゃんとあるんですよ。演奏のほうは教えないのかな、音楽理論と作曲を教えるんです。

飯高　それは、論文の書き方は教えるけど、数学は教えないというような話ですね。変だな(笑)。

小平　『Perspectives of New Music』という専門誌を出しています。そこに集合論を応用した音楽の論文が出ていたのには驚きました。僕も一度、卒論にあたるんでしょうかね、卒業する生徒が作曲した音楽の演奏会を聴きにいきました。わからなかったですね。とにかく音がしない時間の方が音がしている時間よりも長いんです(笑)。

飯高　しかし、音楽部の人が数学の講義を聴くよりはよかったんじゃないですか(笑)。

小平　結び目理論のフォックスはピアニストとしても専門家の域に達していたんです。そのフォックス先生が僕の隣にいたから、「これはなんです」って聞いたら、「禅の影響で、無音の音を聴くべきものである」って……(笑)。

数学とは何だろうか

飯高　ところで先生は数学という学問をどうお考えですか。

小平　僕もわからない。このごろますますわからなくなってきた。そもそも数学がわかったというのはどういうことなのか、それがわからない。とにかく論理とはあまり関係ないみたいですね。

飯高　論理は、数覚を表現する一つの方法ですね。

小平　一度アティヤに、「基礎論に興味がありますか」ときいてみたんですよ。そしたら、ぜんぜん興味がない、厳密性というのは時代の関数だから、そんなこと心配する必要はないっていうんですよ。

飯高　割り切っているんですね。

小平　昔は全くいいかげんなのを、厳密だと思ってやってたわけでしょう。いま数学は厳密だと思っているけれども、先へいったら変わるかもしれない。基礎なんか心配してもしょうがないというような話をしていました。

飯高　先生は、それでいいんですか。

小平　いやあ、わからないですね。自然現象の背後に数学的現象なるものが実在している。数学者は、物理学者が自然現象を研究するのと同じ意味で、実在する数学的現象を研究している。そして数学を理解するということは、その数学的現象を「みる」ことである。「みる」というのは数覚によって知覚することである、というのが僕の実感ですけどもね。ただ、この年になって基礎論の本を読んでもわからない。それが困るんです(笑)。東大の紛争のころだからもう一〇年も前になりますが、基礎論を勉強しようと思いましてね。基礎論というのは最も厳密な数学だからていねいにその論証を追ってゆけば明晰判明にわかるだろう、と思って張り切って勉強をはじめたんですが、明晰判明どころかあいまい模糊としていてさっぱりわからない。これにはがっかりしました。ずい分熱心に勉強したんですけれどもね。ゲーデルの不完全性定理はどうやらわかった、といっても僕が自分で勝手にわかったと思っただけで本当にわかったかどうか、あやしいものですが、コーエン(Cohen)の forcing はついにわかりませんでした。若いときから勉強しないと数学の基礎がわからないというのは変なことだと思うんです。

飯高　若いときに苦労してやらないと何もわからないというのは本当らしいですね。たとえば分数の足し算だって、小さいころやらなきゃわからないのだそうですね。二〇過ぎて教えたらわからない。

小平　それはわからないでしょうね。

飯高　ちゃんと理論立ってものごとをいえる人が、分数の計算ができないということがあるんですね。学校教育がどうかしていると……。この間、ある方とお話してましたら、数学者に対して、世間一般は非常に尊敬の念をもってみているけれども、それは自分たちにとって迷惑だと思っている、それは大工さんが、ある年季を積まなきゃ立派な棟梁になれないのと同じなんだ、どうして社会はそういう眼でみてくれないんだろうかということを、強調しておられましたけれども……。数学がわかるという才能は、明らかに劣性遺伝だと思いますね(笑)。

小平　そうでしょうね。うちの娘はぜんぜんだめだもの(笑)。

飯高　数学の世界では、進歩というものはかなりはっきり出ると思いますが、音楽のほうは……。

小平　進歩しているんですかね。わからない。たとえばジョン・ケージが作曲した『四分三三秒』という有名な曲がありますね。ストップウオッチをもったピアニストが舞台に現われ、お辞儀をしてピアノの前に座り、何もせずにストップウオッチをじっと眺めて四分三三秒経つと立ち上ってお辞儀をして舞台裏に引込むという……。ジョン・ケージは有名な作曲家でアメリカ芸術科学院の会員なんですが。

飯高　数学は進歩していると、僕は信じていますけれども。しかし昔の中川先生の幾何の問題、僕はぜんぜん解けませんから、そういう意味では、あまり厳密にいわれると困るような気がしますね。昔解けたことがいま解けないということは、しょっちゅうありますから。

小平　高等学校一年のとき習った三角法もそうですね。三角関数だけで厚い本があって、一年やった。

飯高　極端にいえば、ああいうことはやらなくていいんだといえるのが、一つの進歩なんだと思います。

小平　さっきの渡辺先生ですがね。だれがいいだしたのかわからないけど、先生はアインシュタインのような大天才だったけれども、一度、脳膜炎をやって普通の秀才になった、という伝説がありました(笑)。サイン、コサインだけで一年やるなんていうのはいまちょっと考えられないですね。

飯高　サイン、コサインで一年間、因数分解にもいろいろむずかしいのがあり、年季を入れて芸をみがくということがあったようですね。受験のためにいろいろ技巧を覚えるのでしょうが病みつきになり芸を競うようになる。こういうことに日本人は得意なのですね。平面幾何ではさらに多量の問題があるから芸を競うような面が受験に伴って非常にふえて、その弊害が叫ばれたあげく、幾何が消えたという現象がありまして、最近、幾何学を戻そうなんていう話があるようですが、先生のころは、平面幾何は中学でしたか。

小平　中学二年から四年までやりました。

飯高　作図問題ですか、中心は。

小平　いや、証明ですね。あれはやったほうがいいと思うんですけどね。

飯高　どういう理由で、いまの教科書からなくなってしまったんでしょうか。

小平　どういうわけですかね。僕の滞米中になくなったので、理由はわかりません。

飯高　初等幾何というのは、わりにデリケートであるのは、たとえば僕ら大学生のときに、家庭教師にいきますよね。そうするとたいていの問題は、パッと解けるんです。幾何の証明問題や作図問題だけはなかなか解けなくて、僕のところへもってくるんですよね。それで僕は三〇分ぐらい考えて解けると、「ああ、先生が三〇分も考えるくらいなら解けなくても仕方がない」といって安心する。そういうところがあって、進歩の袋小路の中というような印象があったんじゃないかと思うんですけどね。そんならいっそ、進歩の袋小路をやめて、直接現代数学につながる部分をしたほうがいいんじゃないかというんです。それはそれなりに、理屈は通ると思うんです。

小平　昔われわれは平面幾何で論理を学んだんですが、幾何でないと論理を教えてもだめなんじゃないかしら。代数なんか材料にして論理を教えようと思っても材料があんまり単純でしょう。もう一つ、人間の大脳の左半球と右半球の働きは異なっていて左半球は分析的、右半球は総合的であるといいますね。言語、論理、計算、などは左半球の分担、音楽、パターン認識、幾何、などは右半球の分担であるという。そうとすれば平面幾何で論理を教えれば左右の両半球を互いに関連させて同時に訓練することになりますね。殊に証明のための補助線を引くのが右半球のよい訓練になる。補助線を引くには図形全体のパターンを眺めて総合的に判断しなければなりませんからね。幾何をやめちゃうと左半球ばかり使うことになると思うんですが……。

飯高　しかし、幾何がなくなった影響がどうくるかということは、かなり慎重にしないとわからないから……。

小平　わからないですね。

飯高　学生をみていると、幾何をほとんどしない中等教育を受けたはずなのに鮮やかな幾何的直観を必要に応じて発揮する優秀な人がどんどん出てきますからね。僕らのころは、幾何はちゃんとやったんですけれども、いまの人はないんです。

小平　そういう優秀な人の幾何学的直観力は生れつきなんでしょうか。幾何学的直観力の一つが補助線を発見する能力ですが、この能力を猛勉強によって獲得したという体験談があるんです。雑誌『数学セミナー』に「ティー・タイム」という欄があるでしょう。あの欄にいつか評論家の扇谷正造氏が書いておられましたが、それによると、氏は中学生のころ幾何ができなかった。これじゃ(旧制)高校の入試に落ちると思って、四年の夏休みに幾何一〇〇問を自分の頭で解いてみよう、という一大決心をした。まず解答の部分は全部破って捨てた。一問から二〇問ぐらいまではスラスラと解けたが、三〇問あたりからつかえはじめて、一日一問がやっとという日が何日かあった。近所に火事があったがそれに気がつかなかった。六〇問あたりが峠で、それを越えたらあとは割合スラスラ解けるようになった。図形を眺めた瞬間何となく補助線を引くことができるようになった、というんです。近所の火事に気づかなかったというのは物凄い集中力ですね。そのくらい集中して勉強すれば誰でも何となく補助線を引けるようになるのかどうか、そこはわかりませんが……。

飯高　それは貴重な体験をされたな。

小平　何となく不安定でおちつかないから補助線を引くので、論理的な判断ではない、といわれるんです。結局、数学は何となくできるわけですよ。

飯高　数学が何となくできるというのは、そのまま受け取れば、非常に大きな慰めになりますね(笑)。

本日はどうも有難うございました。

(『科学』一九八一年九月号)

IV

プリンストンだより

一九四九年八月二五日

昨日朝無事朝永先生と一緒にサンフランシスコに着きました。ホノルルで船員の間に事件があって、そのために船が三日間ホノルルに停ってしまったので、予定より大分遅れてしまいました。しかしお陰でハワイを充分に見物出来ました。

船でまず困ったのは、僕が特別に船に弱いことです。海は非常に静かだったけれども、船というものは絶えずゆれているので、出発した次の日の朝から酔ってしまって、殆ど食べられず、ホノルルに着いたときには今にも死なん許りでした。

ハワイでは朝永先生に会いに来たハワイ大学物理教室の島本君とミスター・タウピン(Mr. Toupin, 両方共若い物理学者)に歓待され、三日間自動車でハワイ中を見物し、日本料理と中華料理を御馳走になりました。島本君は二世で日本語も上手で、英語混りの日本語で話してくれましたが、英語は全然分からず、そのため日本語も半分位しか分かりませんでした。船の中は、三等は日本人と中国人許りで、アメリカ人は一人もいませんでした。

ハワイは、気候は東京の夏より涼しく、海も空も明るい熱帯の感じで、絶えず微風が吹いていて、到る所はなやかな色の花が咲いていていて、実によい所です。しかも一年中大体同じ気候だということです。それで日本人が大勢います。大体海の上は涼しいもので、船の中も横浜では熱くて大変でしたが、動き出してからは暑くて困ったことはありません。ホノルルでまず感心したのはアイスクリームが大きくて濃厚なこと。一つ食べると一寸《ちょっと》胸が一パイになります。そして、あまり濃いためか、冷くなくて、さっぱりしません。次に自動車の多いこと。歩いている人はあまり見えず、自動車許りが動いています。われわれも島本君の自動車で、殆ど歩かずに町中見物しました。

サンフランシスコでは今フェデラル・ホテル(Federal Hotel)という所にいます。泊るだけで食事は外でします。今朝はカフェテリヤでコーヒーとハムとホットケーキを食べましたが、この頃コーヒーが嫌いになって困っています。お昼はトゥーミイ神父(Father Toomey)のいるメリーノール・ハウス(Maryknoll House)で御馳走になりました。トースト一切、肉と卵、サラダ、紅茶、それからパイ一切。パイが甘過ぎてゲッとしました。夜は我慢し切れず、日本人のホテルの食堂へ行って、オサシミと御飯を食べました。日本で考えていた時と違って、毎日となって見ると、アメリカの食物は一寸もうまくなく、日本料理を食べたくなります。実に不思議なものです。

シカゴ行の汽車が満員で切符が買えないので、飛行機にしました。明日の晩ここを出発して、明後日の朝、シカゴへ着く予定。値段は汽車より安い位です。

八月二八日

今飛行機の上で朝の食事を済ませた所。後一時間でシカゴへ着きます。僕の時計は三時半だけれど、時差の関係で、ここの時間は五時半です。もう夜が明けました。途中一五分間位ゆれたけれど、後は全然ゆれず、停っているのか動いているのか分からない位です。飛行機の中は頗《すこぶ》る便利に出来ています。真中の通路の両側に二つずつ腰掛けが並んでいて、て、ちょうど汽車の中と同じです。お客の数は四〇人位、各人の頭上に空気の吹出す穴があって、ネジを廻すと顔に涼しい風が当るようになっています。スチュワーデスが二人いて、夜一〇時頃と今朝と軽い食事(サンドイッチ、コーヒー、菓子、果物等)を持って来てくれました。二人とも頗る背が高く、一寸花代*に似ています。にこやかで親切です(日本の女駅員と反対)。大体こちらの人々は事務員でも店員でもおだやかで愛想がよく親切です。

*東京の家にいたお手伝いさん

サンフランシスコではトゥーミイ神父が細かいことまで実に親切に世話をしてくれて恐縮でした。トゥーミイ神父は大きな童顔の白髪のオジイサンで、相当の年らしく、少し耳が遠いようでしたが、とても元気でした。

――こうして書いている中にもうシカゴの上空に来ました。いま降り始める所で、シート・ベルトで体をしばった所です――

八月三〇日

シカゴでは角谷氏が飛行場まで来てくれたので大助りでした。早速ヴェイユ(Weil)に会いました。英語はさっぱり分からないけれども、それでも兎も角話が通じて用が足りたから不思議です。ヴェイユは頗る構わない茶目な人で、鬼の面を被って窓から顔を出したのには驚きました。来年二月頃になったら、英語もうまくなるだろうから、そうしたらシカゴで何か話してくれということでした。大学の構内のインターナショナル・ハウス(International House)に泊っています。ここは名前の通り、世界中から来た学生、教授が泊っています。黒人、中国人、朝鮮人も大勢います。女の学生、白髪のオバアチャン学生もいます。お行儀は全然かまわない所で、ネクタイなしで食堂に行っても平気です。

ギャフネイ(Gaffney)*もここに泊っていて、実に親切に世話をしてくれます。そして平川先生(NHKのカムカムおじさん)の英語のように一言ずつ区切ってゆっくりしゃべってくれるので大助りです。それでもアメリカ語だから、よく分らないこともあります。有名なフェルミ(Fermi)教授にも会ってお昼を御馳走になりました。今夜は僕と朝永先生がギャフネイ氏を招待して日本料理を御馳走することになっています。

*数学科の学生

ここの食堂はセルフ・サービスで、自分で好きなものをとって食べます。大体一食六〇一八〇¢位。部屋代が一日二$(長くいる人は一$)だから、大体一日四$で暮らせます。

九月四日

一昨日無事ニューヨーク着、駅まで湯川先生が迎えに来てくれて大助りでした。シカゴからニューヨークへは普通の(寝台でない)汽車で来ました。汽車賃を節約して他のことに使おうという訳です。それでも日本の二等よりはるかに上等ですから、大して疲れませんでした。

昨日はお昼は船で一緒だった前田陽子というお嬢さんの家で御馳走になり、夜は湯川教授の家で食べました。それから自動車でニューヨークの夜景を見物してホテルへ帰ったら一二時過ぎでした。

ニューヨークも来て見れば別にどうと言うこともなく、まだ遠くへ来たような気がしないのは困ったものです。英語はホノルルの英語より分かり易い気がします。

シカゴでは例のギャフネイ氏が頗る親切にしてくれました。ニューヨークへ出発するときにはタクシーは高いから電車で駅まで行く方がよいと言って、カバンを持って駅まで送ってくれました。ただし朝から晩まで一緒にいて、することがなくなると直ぐ「数学の話をしましょう」と来るのには閉口しました。

ギャフネイ氏を招待した晩食には朝鮮人のクック(Cook)という人、理研からシカゴへ来ている田島氏、それからシーン(Schean)という若いアメリカ人とその夫人が来て頗る愉快でした。シーン氏は、海軍で一年間日本語を習ったということで、殆ど完全な日本語を話すのには驚きました。ギャフネイに向って間違えて日本語で「後で英語で説明します」と言ったので大笑いでした。

九月八日

ニューヨークに着いて今日で六日になります。遊覧船に乗ってニューヨークを一周するのに一日、自動車で一周りするのに一日、買物で一日つぶし、今日はこれからコロンビア大学(Columbia University)に行くところです。有名なウォール街も見ましたが、ただ呆れる許りで別にどうと言うこともありません。黒人街ハーレム(Harlem)も自動車で通って見ました。ここは夜一人で歩くと行方不明になってしまうことがあるという物騒な所ですが、ただきたならしいだけで矢張りどうと言うこともありませんでした。

この頃大分食物には馴れましたが、眠くて弱っています。一〇時間位寝ますが、まだ寝足りない感じです。食事はカフェテリヤで食べます。朝はトースト、ハムエッグス、コーヒー、果物、ジュース位で四〇―六〇¢、昼と夜は肉と野菜一皿、パン、果物、コーヒーまたはミルクで七〇―九〇¢位、大体一日二$位で充分です。肉と言っても馬鹿でかいので、パンの方が副食物みたいです。パンは大抵一切位しか食べません。

昨日本屋でトーマス・マンの『魔の山』(Thomas Mann : Magic Mountain) を見付けたので早速買いました。ドイツ語のよりはずっと易しいけれども、珍しい単語が沢山現われて一頁読むのも骨が折れます。

明日プリンストンへ行きます。研究所から自動車で迎えに来てくれることになっていますから安心です。

一昨日時間が余ったのでタイムズ・スクウェア (Times Square, 東京の浅草に当る所) で映画を見ました。映画は仲々よく出来ていたけれど、映画の間に、手品や曲芸を本物のオーケストラの伴奏で見せるのには呆れました。その前日の夜はセントラル・パーク (Central Park. これが頗る広い公園で端から端まで歩くと一時間近くかかります) で道に迷ってぐるぐる廻っていたら音楽堂の前に出て、ちょうど其所でオーケストラが演奏していたので、感心して聞いていたら、夕立にあってびしょぬれになりました。

九月一〇日

昨日(九日)プリンストンに着きました。日本を出てからちょうど一月目です。早速オッペンハイマー (Oppenheimer) とワイル (Weyl) に会いました。オッペンハイマーは写真で見た通りでしたが、ワイルは大きな寧ろ丸顔の人の好さそうなオジイサンです。

プリンストンはまだ着いた許りでサッパリ様子が分かりません。昨日は早速オッペンハイマーの家によばれてマルティニというお酒を御馳走になりました。集った人は今度新しくプリンストンに来た物理学者が五人と数学者が僕一人。相当強いお酒で、僕はお酒は飲めないし、英語は分からないし、頗る困却しました。こちらの人は女でも仲々お酒に強いらしく、オッペンハイマーの奥さんはかなり沢山飲みました。もっとも終いには大分酔ったらしく恐しくよくしゃべっていたけれど。オッペンハイマー夫人は全然かまわない人で、僕も朝永先生も初めお手伝いさんかと思いました。

僕の住居は19, Bank Streetですが、手紙は研究所宛に出して下さい。家は小さな別荘風の家で、下宿している人は五人位です。プリンストンという町は実に小さい小綺麗な町で、大きさから言っても町の風景から言っても軽井沢にそっくりです。研究所は家から歩いて二五分位の所にあります。バスが通っていますが、運動の意味でなるべく歩くことにしています。

プリンストンの欠点は物価の高いこと。洋服等ニューヨークの倍だそうです。食物も高い割にまずいのが欠点です。日本食のまずいのとこちらの食物のまずいのとは大分感じが違いますが、しかし食べ難いことは同じです。もう一つ困ったことはどうもコーヒーが嫌いになったことです。しかし、カフェテリヤで食べている限り、金井清オジサンの話のようなお行儀の心配等全然ないので助かります。どうもオジサンの話は最高級のホテルに泊り最高級の料理を食べる人のことらしく、われわれのように安ホテルと安料理で旅行する人にはあてはまらないようです。

九月一六日

プリンストン到着以来一週間経ちました。まだ研究所の方は始まっていないのでよく様子が分りませんが、大体町の様子は分かって、暮らすのには困らないようになりました。英語の方はサッパリだめです。第一英語を使う機会が殆どないのだからどうにもなりません。今週は大体毎日一〇時頃研究所へ行きました。研究所には僕の部屋があって、そこで本を読んだり論文を書いたりしています(この部屋は二階で頗る見晴しがよく、天気のよい日は快適です。研究所の周りは芝生と森ばかりで、森の間に教授達の家が二、三軒見えます)。一二時半頃に食堂へ行きます。いつもワイルに会うので一寸挨拶をします。それから部屋へ帰って、三時半頃まで勉強し、三時半か四時にコモン・ルーム(Common Room, 広い部屋)へお茶を飲みに行きます。お昼は毎回お金を払いますが、このお茶はタダ(free)です。五時か六時に下宿へ帰って、それから近くのレストランへ食事に行きます。レストランも町全体で五軒位しかなく、その中で余り高級な所と下等な所を除くと、結局残る所は二軒だけ、大抵その中で安い方へ行くので、つまりいつも同じ所で食べる訳です。食事が済んで、少し本屋でも見て下宿へ帰ると八時頃、それから後は風呂にでも入ってまた少し本でもよんで寝ます。研究所でセミナリーでも始まればまた様子が変わると思います。

こちらへ来てみると英語が実に色々で驚きます。研究所の人はそれぞれ違った英語をしゃべっています。また、日本人の一世の英語はいくら上手な人でも発音が全然日本式で、すぐ分かります。研究所の秘書のミス・アイグルハート(Miss Eighart)という人に、会話を誰かに習いたいと頼んだら、そんなことをしなくても自然にしゃべれるようになると言われました。町で買い物をしたり食事をしたりするときは、こっちの言うことが相手に分からないと、向うの方が恐縮して聞き返すから平気です。日本にいる外人はえらそうに見えるので、英語がまずいと恥かしい気がしますが、こっちに来れば、給仕はアメリカ人でも要するに給仕ですから、英語が通じなくてもそれ程恥かしい気がしません。

金井清叔父さん来ますか？　どうも清オジを初めとして色々の人のアメリカの話はアメリカの最高級の生活をしている人の話らしく、われわれの仲間の生活は大分話が違います。第一、一寸もお行儀がよくありません。食事の時等もまるでメチャメチャです。それから鼻紙を使わないという話も全然デマで、到る所に鼻紙があります。第一、ドラッグ・ストアへ行けば箱入りの鼻紙を堂々と売っています。レストランでも、また研究所の便所でも、必ず紙が備えてありますから、かえってハンカチは全然要りません。またこの間研究所の図書館で本を読みながら鼻をほっている教授がいました(僕にあらず!!)。また、フォークの使い方も、イギリスから来た人は左手で使いますが、アメリカ人は右手で使います。だからつまりどちらでもよい訳です。この間のカクテル・パーティーの時にもオッペンハイマーの奥さんは終いに椅子の上に坐り込んで、足の怪我した所をフィンランドから来たある教授に見せていました。

九月二九日

段々英語の分からないのがたたって来て、弱っています。まだセミナリー等一寸も始まっていませんが、一番困るのはお昼とお茶のとき。初めは何時着いたかとか言うような簡単な話ばかりでしたが、この頃はそういう話は尽きてしまって、話がサッパリ分かりません。ワイルがしきりに冗談を言って皆を笑わせますが、僕は分からないから、ぽかんとしています。アナルス(『Annals』)の九月号に出た僕の例の大論文(?)に偉い先生方——ワイル、ジーゲル(Siegel)、ベブレン(Veblen)等——が興味をもって、来年になって英語をしゃべれるようになったらセミナリーでしゃべって貰うと言って待っているのには頗る困りました。またこの間はジョーンズ・ホプキンス(Johns Hopkins)大学のウィントナー(Wintner)から手紙が来て、自分の大学へ来て何か話してほしいと言うので、今いそがしいから来年になってからにしてほしいと返事を出しましたが、その返事を書くのに半日つぶしました。しかし、秘書のミス・アイグルハートが、英語を直してタイプに打って郵便に出してくれますから、日本よりは楽です。

このミス・アイグルハートというのは、軽井沢で生まれて、一八歳まで日本で大きくなった人で、香蘭(セイ子のいた女学校也)の先生をしたこともあると言うことです。香蘭では唱歌を教えたと言っていました。誰かから聞いて、セイ子が香蘭にいたことをチャンと知っていたのには呆れました(これをしゃべったのは角谷氏だろうと思います)。

＊私の家内

この間角谷氏がここに現われましたが、もうしゃべり通しにしゃべっていました。日本語のときよりも英語のときの方がずっとおしゃべりです。大体角谷さんがしゃべって、周りのアメリカ人がそれを聞いて面白がって笑っているのだから、桁違いです。

お砂糖がない由、早速送りますが、どうしても一月かかると思います。こちらでは月給二五〇$貰うことになりました。生活費が一三〇$位。いくら贅沢をしても一五〇$は使えません。大体こちらの料理は高ければ分量が多い(その割に味がよくありません。味から言うと、昔われわれが銀座の資生堂、スコット等で食べた料理の方がはるかに上等です)ので、一日三$以上はどうしても食べられません。それから、一寸お菓子を食べたり、アイスクリームをなめたりしようと思っても、その一つが大きすぎるので、一寸考えてしまいます。朝永先生は毎月四〇〇$貰って、どうして使おうかと弱っています。洋服を二着、レインコート一着、ワイシャツ、下着、靴、靴下、帽子、等々一揃い買いましたが、合計一三〇$位でした。ただし本が割に高いのと、それから病気になるとお医者が高いという話ですから、無闇に金を費ってしまう訳に行きませんが、順調に行けば少し余りそうです。

一〇月一〇日

この間オッペンハイマーの秘書ミセス・レアリー(Mrs. Leary)と偶然晩食のとき一緒になり、ミセス・レアリーは何だか赤いおいしそうなお酒を二杯飲みました。そこで、朝永先生がそのお酒の名前を確かめておいて、次の機会に僕と一杯ずつ飲んだところが、味は頗る上等だけど大分強いお酒で、僕は勿論朝永先生もフラフラになりました。ミセス・レアリーは二杯飲んでも別に何ともないらしく、ケロリとしていましたが。

こちらの生活は大体安定して来ました。家はちょうどお伽話に現われるおもちゃの家みたいな真白い木造の三階建で、僕と朝永先生はそれぞれ二階の部屋にいます。朝永先生の部屋の方が少し広く、日当りもよいのですが、今のところ、とても暑い日が続くので(今も余り暑いのでドアをしめて、はだかで手紙を書いています)、日当りがよいと堪えられません。下宿のオバアサンは仲々親切らしいけれども、惜しいことに英語がさっぱり分かりません。洗濯は毎週月曜に洗濯屋が廻って来るので、洗濯袋に洗濯物をつめて置くと、次の月曜に綺麗になって返って来ます。ただしおかしなことに、洗濯袋まで綺麗に洗って、アイロンをかけてたたんで返して来ます。町が綺麗で、埃がたつ所がないから、割合によごれません。食事は朝と晩は町のレストランで食べますが、これは小さな町で、結局僕達の行くに適したレストランが二軒しかなく、しかもメニューが毎日殆ど同じと来ているので、頗る飽きました。それに小さな田舎町なので、おいしいお菓子等少しもありません。例えば待望のショートケーキ等絶対にありません（ニューヨークでは大きいのを食べましたが）。一寸楽しみなのは生牡蠣を食べるとき位なものです。床屋へはニューヨークで一度、プリンストンで一度行きました。風呂へは一日置き位に入ります。こちらの人は余り入らないようですが、何時でも入りたい時に入れるので頗る便利です。

研究所では僕の部屋は二階で、西向きで、日当りもよいし、風通しもよいし、頗る上等です。机も椅子も上等ですが、ただし椅子が木で出来ていて、クッションも何もない（つまりお尻の乗る所が木の板です）のが欠点です。アメリカの人はお尻の肉が発達しているから、これで平気だという話です。そして大学（東京の）の椅子と同じようにバネが入っていますが、そのバネが強すぎて、僕のような目方の軽い人間には余り役に立ちません。講義やセミナリーもぼつぼつ始まりました。僕はジーゲルの講義をきいていますが、これは実に名講義で、頗るゆっくりとした英語で話してくれるので日本語の講義と同じ位よく分かります。ただしこれは例外で、この間ノイマン(Neumann)の講義を聞いたら、とても早くて一言も分かりませんでした。大体一番困るのはお昼のときとお茶のとき。皆面白そうにしゃべっているのに、こちらは一寸も分かりません。どうも英語は一向上達しないようです。それから困るのは他の大学から何か話しに来てくれと頼まれることです。遠方のは、今いそがしいから来年にしてくれと言ってやりましたが、ここのプリンストン大学のはそういう訳にも行かず、兎も角、英語がうまくしゃべれないから皆で一緒にセミナリーをやるということにして貰いました。しかし僕の論文を読もうと言うのですから、どうしても黙っている訳には行かないと思います。英語のしゃべれないのが頗る不思議らしく、あの論文の英語は自分で書いたのか？とよく聞かれます。ワイルもそんなことを言いました。

ミス・アイグルハートという人は、青山学院の先生のお嬢さんで、セイ子の知っている人と正に同じ人物です。今日、セイ子が習ったことがあると話したら面白がっていました。どうも思い掛けないことで呆れ返る許りです。こんな所でセイ子の先生に会おうとは夢にも思いませんでした。手紙や論文を書くとこのアイグルハートが全部タイプに打ってくれます。そして英語も直してくれます。英語でおかしかったのは、僕の論文の序文の中で「ワイルに感謝する、云々」という所だけをワイルが訂正してくれました。

角谷氏は二度程現われました。角谷氏は日本語の時よりも英語になると物凄くおしゃべりになって殆ど続けざまにしゃべります。そして通訳もしてくれますが、こちらの言わないことまで訳してしまって僕が何でも知っているようなことを言うので、一寸困ることがあります。

今また新しい論文を書いています。今度のは余り長くないので直きに出来上ると思います。

その後会った人は、まずノイマン。この人は一寸商人のような感じで、誰に向っても丁寧です。ヴェイユと正反対の感じです。それからハーバード大学のベルグマン(Bergmann)。この人は物凄く熱心な人で、会うといきなり数学の話を猛烈な勢いで始めたのでびっくりしました。しかもこの人が是非ハーバードへ一度来てくれと言うのでついに承諾してしまいました。

一〇月一四日

英語は発音とか文法とかは問題でなく、ただしゃべるかしゃべらないかの心臓の問題です。お昼のときも平気で understanded 等という言葉を使ってしゃべってる人がいます。それが僕にはどうしても出来ないのでどうもなりません。

今ハーバードに来ているスイスの有名な数学者ド・ラーム(de Rham)から二度手紙を貰いましたが、その中には、I didn't knew your papers とか、I am very glad to can read your papers とか、妙な句が一パイあります。それでも一向かまわないのだから、セイ子位英語を知っていれば、こちらへ来ても全然困りません。ミス・アイグルハートは今でも仲々愛嬌があって親切ですが、綺麗かというと、どうも第一、年がさっぱり分からないという顔をしているので、よく分かりません。頗るオバアサンのようでもあるし案外若いようにも見えます。是非一度手紙を出して下さい。僕の用事――手紙のタイプ、論文のタイプ、銀行の用事、等々――は全部アイグルハートがしてくれます。英語はアイグルハートの英語がまず一番よく分かります。軽井沢の写真を見せたらとても喜んでいました。しかし、セイ子の女学校のときのことは憶えてはいないようです。

さて、セイ子のほしいものは今度ニューヨークへ行ったら買って送ります。明日行く積りだったのが、ワイルに招待されたので行けなくなりました。カクテル・パーティーという僕の一番苦手の奴です。

今日は、朝からズーッと今までのことを書いて見ると、まず、朝八時に起きて、ひげをそって顔を洗って洋服を着るまでに四五分位かかります。それから外へ出て朝食。これはコーンフレークス・ミルク・コーヒーで三〇¢。朝はこれに限ることを発見しました。九時頃食事を終えて、研究所まで歩きました。研究所へ着いたのが九時半。九・四〇―一〇・四〇までジーゲルの講義。これは実にゆっくりした英語で、しかも非常に名講義で、英語だということを時に忘れる位よく分かります。それからジーゲルの部屋へ別刷を貰いに行って一〇分程話しました。ジーゲルは、この前にも書いたかも知れませんが、おっとりしたとても人の好いオジイサンで、親切に色々のことを聞いてくれます。次に一一・一五―一二・〇〇がワイルのセミナリー。これは今日が第一回目で、ワイルは実に楽しそうにしゃべりましたが、どうも英語がうま過ぎてよく分からない所がありました。それから食堂でお昼(これは何を食べたか忘れましたが一$)を食べていると、ワイルがやって来て僕の向い側に座って「英語うまくなりましたか?」とか何とか言って、一緒にお昼を食べました。

その中に周りに大勢数学者が集って来ると、ワイルがしきりにしゃべるけれど、こうなると僕にはさっぱり分かりません。それから、バスに乗ってプリンストン大学へ行き、ここで一・二〇—二・二〇が僕の論文のセミナリー。今日が第一回目です。スペンサー(Spencer)という教授が是非僕の論文のセミナリーをやろうと言うから、兎も角やることに決めて、セミナリーと言うからには誰かが僕の論文を読むのだろうと思っていたら、僕が僕の論文を皆に話すので何のことはない講義をするのと同じことです。飛んでもない話で、一時間話したらクタクタになりました。帰りにドラッグ・ストアでアイスクリーム・ソーダ(二〇¢)を飲んで息を吹き返し、家へ帰って、少し論文の続きを書き、それから五・三〇頃から晩食。町のレストランへ行って、今日は疲れたから特におごって生牡蠣(レモン汁をつけて食べます)とチキン・サラダと紅茶。これが約二$。結局三$三〇¢食べた訳ですが、今日は特別で、普段は夜も一$—一$五〇¢位。それから家へ帰って風呂に入ってこの手紙を書いているところです。もっとも、セミナリーと講義がこんなに重っているのは今日だけで、他の日はもっとずっと閑です。

一〇月二八日

こちらの生活も安定して来るに従って単調になって来て、この頃日の経つのが馬鹿に早くなって来ました。今日は僕の講義の日ですが、幸にして何か都合が悪くて止めになりました。アイグルハートの所へ電話が掛って来て、アイグルハートが僕の所へ伝えてくれました。それが、初め英語で言って帰って行きましたが、通じたかどうか心配になったらしく、しばらくしてからまたやって来て今度は日本語で「さっきの話分かりましたか？」

今週はズーッと論文を書いていました。一寸変ったことと言えば、ジーゲル（大先生！）に書いている論文の話をして I like very much your formula と言われたのと、背の小さいインド人の数学者ラマナサン（Ramanathan）が出した問題を一晩で解いて煙に巻いてやったのと、それだけです。こちらへ来てみて、こちらの大先生方は物凄く偉いけれども、「その他大勢」に比べると僕も決して負けないことを発見しました。大先生方の偉さは格別で、朝永先生がオッペンハイマーを畏れること恰も中学生の校長先生に対する如しです。何しろ、オッペンハイマーに叱られた夢を見たという位だから。オッペンハイマーは第一、声からして荘厳な声を出します（ボン語でお経を朗読すると言った感じ）。そして（僕はオッペンハイマーの話すのを聞くことは殆どないけれど、朝永先生によると）普段の会話でも難しい英語を使って妙な言い廻しをするという話です。ワイルの方は偉さから言うとオッペンハイマーよりも更にはるかに上ですが、何しろ頗る茶目で、まん丸な目をクルクルさせて笑ってばかりいるから、それ程偉そうな感じがしないので大助りです。僕の英語のしゃべれないのが面白くてたまらないらしく、「来年になったらセミナリーでしゃべって貰う、アハハ……」とか言って大満悦です。

一一月四日

この前手紙を出してから、もう一週間経ちました。この頃馬鹿に日の経つのが早くなって、何だか何もしない中に直ぐに一週間過ぎてしまいます。今週は遂に論文を仕上げて、ワイルに見せて大いにほめられました。

今日は金曜日で、僕の講義の日ですが、大分馴れてそれ程疲れなくなりました。質問がよく分らないで困りますが、それも二、三度聞き返すと大抵分かります。

先週の土曜日には、ニューヨークへ着いて、まず朝食を取り、それから靴みがきに靴をみがかせて、次に床屋へ行き(床屋までニューヨークの方がプリンストンより安いから不思議です)、それからいつもの店に行って、日本へ送るものと、僕の冬外套を買いました。冬外套は二〇$。この店で湯川さん一家と偶然会って、皆でお昼を食べ(朝永先生は、僕が床屋へ行っている間に、インドの物理学者バーバ[Bhaba]に会って、来年インドのタタ研究所[Tata Institute]へ来ないかと言われて、断るのに困ったそうです)、それから僕だけ数学会へ行って、ここでシュバレー(Chevalley)はじめ、一寸覚え切れない程大勢の数学者に会いました。学会は日本と同じことで、講演を聞いている人よりも、廊下でワイワイしゃべっている人の方がズッと大勢です。帰りは角谷氏はじめ一〇人程の若い数学者と一緒に食事をしましたが、皆のしゃべっていることはさっぱり分かりませんでした。

今度湯川先生がノーベル賞を貰ったので、明日、朝永先生と一緒にお祝いに行く積りです。

一一月五日

今日は朝七時に起きて、朝永先生と一緒にニューヨークへ行き、まず湯川先生の家へ行きました。ノーベル賞というものは仲々大したものらしく、湯川先生は昨夜二時頃まで日本と電話で話したと言って、ねむそうな顔をして起きて来ました。それから色々話をして、お昼を御馳走になり、家を出たのが三時半頃。この前外套を頼んだ店へ寄ったのが四時頃。ここで毎日新聞の記者につかまり、到頭晩食をおごって貰いました。この記者、朝永先生と湯川先生と僕と座談会をやれとか、何とか色々註文を出しましたが、朝永先生頑として動かず、遂に物分れになりました。湯川先生の方は新聞に出たりするのが嫌ではないらしい様子だけれど、朝永先生は徹底的に新聞嫌いです。プリンストンへ帰ったのが八時でした。どうもニューヨークへ行くと、空気が悪いせいか、ひどく疲れます。

この二、三日こちらは急に寒くなりました。この辺の気候は急に暑くなったり寒くなったりして、決してよい気候でありません。ただ部屋の中は暖くなっているので、中にいる限り寒さは分りません。殊に研究所の部屋の暖房はうまく出来ていて、いつも自動的に部屋の温度が華氏七二度位になっています(上着をぬいでいてちょうどよい暖かさ)。この点だけは日本に比べて非常に楽です。

湯川先生はアイゼンハウアー(Eisenhower, コロンビア大学総長、前連合軍総司令官)と一緒に写真にとられたり何かして、とても嬉しそうでした。テレビジョンの放送にも出演したそうです。ただし、貰った三〇、〇〇〇$(円に直すと実に一千万円)をどう使うかについては大分頭をなやましているようでした。

今日は日曜日。朝寝をして、朝とお昼を一緒に食べました。少し散歩をしたけれど、風がひどく冷たいので不愉快でした。夜は、湯川先生のノーベル賞に祝意を表する意味で、朝永先生と二人で祝杯を挙げました。先生は少々酔って大分おしゃべりになり、ドイツへ行った当時の話を色々してくれました。

一一月七日

今日は、朝少し寝坊して、九・四〇からのジーゲルの講義に遅れそうになり、あわてて朝食をたべに行ったら、そこでエジプト氏*に会いました。どうも町がせまいので、すぐに知ってる人に会います。そこで、エジプト氏の自動車に乗せて貰って研究所へ行きました。ジーゲルの講義、段々難しくなるにつれて聞いている人の数が減って来る所、日本と同じです。論文が一段落付いたので、一寸閑になりました。お昼は、サンドイッチとスープとケーキとミルク。どうも研究所の料理は頗るまずいので、近頃これが一番よい献立であることを発見しました。五時半にバスに乗って町へ帰り、晩食はサラダ(野菜とチキン)、スープ、アイスクリーム。家へ帰って今お風呂から上った所です。

＊エジプトから来た数学者ドス(Doss)氏

一一月九日

五日付の手紙今日着きました。早いので驚いています。この頃割に頻繁に手紙を出しているような気がするのに、手紙が来ないというのは不思議です。それとも、この頃日の経つのが馬鹿に早くなったので、頻繁の積りでも間があいたかな？

さて、交通事故のことを心配しているけれど、こちらでは歩いている限り絶対安全です。日本では歩いている人間の方が車よりズッと多いから、車の方が「特権階級」で、車が通る時には人間は立止って待っていますが、こちらでは車の方が歩いている人よりズット多いから、歩いている人間が「特権階級」で、道を歩いて横切るときは車は(ゴー・ストップの信号の如何に関せず)止って待っていてくれます。だから道を歩くのは日本よりズッと楽です。ただし、一寸田舎へ出ると、歩いている人は絶対にいないので、犬が珍しがって吠えるので困ります。こちらでは、ゴー・ストップの信号も交通巡査も車を取締るためにあるので、歩いている人間はフリー・パスです。

今日はA・ヴェイユから手紙が来ました(僕が出した手紙の返事)。その始めに曰く、

"Your formula is very interesting, I think". 僕得意也。
今週の土曜はオッペンハイマーの家でカクテル・パーティー。オッペンハイマーお得意のマルティーニとかいう酒が出ます。こちらのお酒は仲々うまいので、決して無理して飲んでる訳ではありません。

一一月一三日

昨日はオッペンハイマーの家でカクテル・パーティーがあって、行って見ると、研究所のメンバーが殆ど全部来ていました。何でも一〇〇人位いたようです。だから勿論座る椅子は到底足りる筈《はず》がなく、皆立ったままお酒を飲んでワイワイしゃべっているだけです。この位の人数になると、何所で何をしていても全然目に付かないから気楽です。僕は主に背の小さいインド人数学者ラマナサンと話していました。この人は全然お酒を飲まないので、ただしゃべるだけしかすることがなく、退屈そうでした。七時頃になって、そろそろ帰ろうかなと思って朝永先生をさがしていると、先生は隅の所でつまみ物(カクテル・パーティーではお酒が主で、あとはお酒のさかなにつまみ物が出るだけです)をモリモリ食べていました。曰く、「下宿へ帰ってまた食事に行くのは面倒だから、ここで食べて行くんだ」。

帰りにベイトマン(Bateman, この人は夫婦共に数学者で、二人とも研究所のメンバーです)がやって来て何かもそもそ言ったから、多分町まで車に乗せて行ってやろうという意味だろうと思って朝永先生をさそって一緒について行くと、ベイトマンの家へ連れて行かれて、ここで二次会が始まり、晩飯が出て、一〇人位集って、面白そうにしゃべっていましたが、僕には殆ど一言も分かりませんでした。僕は閑つぶしにピアノを弾いていました。家へ帰ったのが一二時半頃。

今日は日曜で、変わったことは何もありません。ただ、今度プリンストンに新しく中華料理屋が出来たので、試食してみました。一寸うまかったけれど、かなりアメリカ式の料理で、昔日本で食べた中華料理には到底及びません。

英語は全然進歩しません。段々しゃべれないことに慣れて行く傾向があるので、誰かに習おうかと思っています。大体こちらはしゃべれなくても一向差支えないように出来ているので、かえって英語のためには困ります。数学の話は式とでたらめな英語で通じるし、それ以外の話は、要するに雑談で、分からなくても一向差支えがないと言うわけです。

一一月一九日

僕の今度の論文は三〇ページ程の長さだけれど、ワイルとジーゲルが非常に関心をもってくれた所を見ると、相当傑作のようです。今、また別の大発見をしつつある所です。

今週はパーティーが二度ありました。一度はシェルマン (Scherman) という若い人の家で若い男ばかりが集ってビールを飲みました。始まったのが夜の一〇時、終わったのが夜中の一時。もう一つのは、今日モース(Morse)教授の家でティー・パーティー(五時―七時)がありました。モース先生はもう白髪のオジイサンですが、ピアノが上手(僕よりズッと上手で、しかも何でもそらでおぼえています)で、僕と二人で、他のお客様そっちのけで、連弾ばかりやっていました。もっともモース先生、連弾用の譜は持っていないらしく、バッハのパイプオルガン用の譜を出して来て、低音部を弾いて見ろとか、ピアノとバイオリンの譜を出して、バイオリンの所を弾いて見ろとか、そんなことばかり言います。おかげで折角のお茶もお菓子も食べる閑がなく、おなかがすいて困りました。

こちらはこの二、三日かなり寒くなって、厚い冬外套を着て外へ出ても少し長くいると体が冷たくなる程です。

一一月二一日

今僕の今度の大発見の最後の一コマが完成しつつある所。これが出来れば、今までの僕の論文の中で一番のケッ作になる筈です(おかしなことに、英語は一寸も進歩しないのに漢字を少し忘れました。変な所に仮名を使うのはそのためです)。

昨日湯川先生の祝賀会へ朝永先生が行って来ました。朝永先生、色々な日本人に紹介されたけれど、皆同じ顔に見えて区別がつかなくて困ったそうです。朝永先生はもう日本へ帰りたくて仕方がないそうです。

一一月二三日

ベルグマン教授に招ばれて、ケンブリッジ(Cambridge, Mass.)という町に来ました(ハーバード大学のある所)。プリンストンからニューヘブン(New Haven)まで汽車で約三時間、ニューヘブンで角谷氏に会い、角谷、僕、若いアメリカ人の学生三人で自動車に乗って(若い学生の一人が運転して)約三時間でケンブリッジに着きました。自動車の平均時速五〇マイル、一番早いときは八〇マイル、一寸間違えたら大変なことになりますが、こちらの人は馴れているので平気です。八〇マイルで走っているとき角谷氏曰く「アメリカで自動車事故で死ぬ人が毎年五万人位ある」。自動車を運転した若い学生は兵隊で日本にいたことがあるということで、ここの景色は山手線の何所かによく似ている等と言っていました。

ここに着いたのが七時頃、それから中華料理を食べて、ベルグマンの家に着いたのが九時。今近所の下宿で手紙を書いているところです。ここで一週間か一〇日暮らす積りです。ベルグマン教授はポーランドから来た人で、英語がユックリしているのでよい具合です。とても熱心で親切な人で、早速数学の話を一時間程聞かされました。

一一月二五日

昨日はまずベルグマンの家へ行って三時間程話を聞き、次に角谷氏と一緒に何とかいう若い数学者の家へ行ってディナーを御馳走になりました。こちらでも若い数学者はピーピーしているらしく、御馳走と言っても決して大したことはありません。この家は夫婦共に数学者で、この奥さん御馳走を作るのと食べるのとでスッカリくたびれちゃったと言って、御飯がすむともう何もしません。御主人と角谷氏が台所へ行ってお皿を洗ったり何かごとごとしていました。それからアムブローズ(Ambrose)という人の家でパーティー。集ったのは一〇人位。御馳走になった奥さんとその友達の何とかいう奥さんはパレスチナから来たのだそうで、二人で時々ヘブライ語で話していました。家へ帰ったのが一二時半。クタクタに疲れました。

一二月二日

ハーバード到着以来、既に一週間。明日プリンストンへ帰る積りです。実に色々の数学者に会いました。アムブローズ、角谷さんの友達で、この人の家へは二度行きました。お行儀の悪いことを得意としているらしく、いつもネクタイをゆるめてだらしない様子をしています。アールフォース(Ahlfors)、フィンランド生れの偉い数学者で、この人には一度お昼を御馳走になりました。ド・ラーム、スイスから今年の九月にここへ来た人(客員教授)で、登山家だそうです。英語は未だヨチヨチだけれど、スポーツマンらしい愉快な人で、数学の話はあまりせずに、馬鹿話ばかりします。この人には二度お昼を御馳走して貰いました。ド・ラームは僕と専門が同じで、来年二月からプリンストンへ来ることになっています。マウトナー(Mautner)、オーストリヤ生れで、昨日の夜この人の家で晩食を食べました。僕の論文に興味をもっているそうで、色々質問されました。僕を招んだベルグマン教授はポーランドの人で、英、独、仏、露、ポーランド語を自由にしゃべります。ただし英語の発音はずい分変てこだけれど。家族が全部ナチスに殺されたと聞いて寒くなりました。他の用事のないときは文字通り朝から晩の一〇時頃までこの教授と数学の話をして、ヘトヘトに疲れました。物凄く熱心な人で数学に憑かれていると言った感じです。You are my guest とか言って、えらく歓待してくれるので恐縮でした。

こちらの数学者の仲間では、ポーランド生れとかいうのがちょうど日本で長野県生れという程度の感じで、偉い数学者は大抵外国生れです。しゃべる英語も生まれた国によって全然発音が違います。ベルグマン先生も書く方は自由自在という訳に行かないらしく、秘書を二人も使っていて、言いたい事柄だけ言ってやれば後は秘書が上手な英語で書いてくれるから便利だと言って笑っていました。

一二月六日

そろそろ来年のことを決めるらしく、ワイルにもう一年いる積りはないかと聞かれました。そこでもう一年いるなら家族をつれて来られるようにしてほしいと頼みましたが、メンバーに支給する金額等はオッペンハイマーの所で決めるらしく、ワイルは出来るだけ努力してみるけれど分からないと言っていました。来年は国際数学者会議があって、色々な人をよばなければならないので、研究所もお金が足りないらしく、未だ全然分かりません。

こちらのお金のことは全然心配する必要なしです。今日ハーバードから一〇日分の旅費を送って来ましたが、それが何と八九$。僕が払ったのは汽車賃と部屋代合計二五$だけで、後は全部御馳走して貰って(プリンストンにいても一〇日で二五$位は費います)、少し悪いみたいです。

来週から来年の二月の初めまで冬休みで、ワイルはヨーロッパに行くそうです。

一二月一二日

ワイルから話があって、もう一年ここにいることに大体決りましたが、四〇〇〇$しか出せないと言うので、家族をよぶことは一寸不可能です。残念だがどうも仕方ありません。この研究所では外国から来た若い人は二年いるのが原則のようです。大先生は一年、或は半年で帰るのが普通のようです。朝永先生は大先生の部類に入るらしく、一年で帰るようですが、僕は若い者の部類に属するらしく、二年いることになりましたが、その代り四〇〇〇$しかくれないと言う訳です。今度の論文は始め考えたよりも大分難しいことが分かって来て、今苦心して考えている所です。

一二月一九日

この間ニューヨークで、小学校のとき僕より一級下にいた白戸マサという人の家へ招ばれて御馳走になりました。青山士という人の長女で昔下落合に住んでいたそうです。御主人は二世でコロンビア大学の日本語の先生です。五つ位の男の子がいて、英語で色々話をされて弱りました。彼にはこちらが英語が分からないということが分からないらしく、色々なことを言うので、うまく返事が出来なくて閉口でした。この子の言うことを聞いていると、実に僅かの単語を使って簡単な文章で何でもうまく表現するので感心しました。

朝永先生は二、三日前からニューヨークへ行って歯を直しています。今日来た葉書によると先生歯を全部引っこ抜かれて八〇歳位の顔になったそうです。明日ニューヨークへ行って八〇歳オジイサンの朝永先生とシカゴで世話になった学生ギャフネイ氏と三人でお昼を食べる積りです。

ミス・アイグルハートに手紙を出して下さい。英語は上手に書けなくてもかまいません。僕時々英語の手紙を書いたときにはアイグルハートに直して貰いますが、直される箇所はほんの僅かです。弥永先生の方がズッと沢山直します。

ワイルはこの冬休みにもうヨーロッパへ行きました。この間の月曜日のお昼のときに会ったら、今日二時に出発すると言って、悠々とお昼を食べていました。まるでわれわれが

「一寸これから熱海まで行って来る」という位の気軽さで、誰も見送る人もいないようでした。

一二月三〇日

二四日からニューヨークに来ています。

二五日には日本料理店「都」の主人に招ばれて、ターキーを御馳走になりました。日本人が三〇人程集って盛会でした。朝永先生はすっかり酔ってしまって、後から聞いてみると、全然記憶していない所があって大笑いでした。先生色々な人と食事をする約束をしておいて、後では全然憶えていないのだから不思議です。

二七、二八、二九日の三日間は数学会の年会がコロンビア大学であって、毎日お昼頃から聞きに行きましたが、よく分かって面白かったのはアールフォースの講演一つだけ。こちらの学会も日本と同じで、講演を聞く人よりも廊下でワイワイ駄弁っている人の方がズッと多く、二七日にはティー・パーティーがありましたが、これは学会に来た数百人の人が小さな部屋で(立ったまま)お茶を飲むので、満員電車に近く、お茶は偉い教授の奥さんがサービスしてくれるのですが、それが二人しかいないので、行列をして待っているという騒ぎです。シュバレーの奥さんに会いました。

二九日の晩は大林、桜井、朝永、もう一人名前を忘れた日本人と五人で「都」でスキヤキを食べました。大林君は早稲田大学出身の建築家、桜井君は未だ一六歳の少年で高校の生徒ですが、この夏一人で日本からやって来たというので、感心しました。この桜井君がかつて子供のときうちの筋向いに住んでいたと言うのだから不思議です。どうもニューヨークは案外狭い所で、やたらに知っている人に会います。

今日はハワイで知合いになった島本君(二世で物理をやっている学生)が尋ねて来て、近頃こちらではやっている「サムソンとデライラ(聖書の物語りによる)」という映画を見て来ました。映画館に立派なオーケストラがいることはこの前九月に来たときに知っていましたが、今日行った映画館にはオーケストラの他にパイプオルガンがあるので大いに感心しました。映画の間にパイプオルガンでジャズを弾くのだから妙です。

一九五〇年一月三日

今日プリンストンへ帰って来ました。

ニューヨークのお正月は、まず一日の朝一〇時頃朝永先生と島本君と三人でホテルを出て、さて何処かで朝食を食べようといつも行くカフェテリヤへ行くと、今日はお休み。大体元旦の午前中は皆寝ているらしく、街はシーンとして余り自動車も通っていません(その代り三一日の晩は夜中の二時頃まで大勢の人が街へ出て大騒ぎをしていました)。やっと開いているドラッグ・ストアを見付けてコーヒーとお菓子を食べて、それから湯川先生の家へ行きました。そして御雑煮を御馳走になって、ノーベル賞の金メダルと賞状を見せて貰いました。金メダルは直径三寸位で純金だと言うから大したものです。賞状も羊皮紙で出来ていて、大学の卒業証書よりは大分立派です。ここで同盟通信の岩永氏に会いました(金井清叔父がよく知っている人)。二時半からカーネギー・ホールの音楽会へ行きました。曲目は、(i)クラップ(Clapp)のコメディ序曲、(ii)ブラームスの第四シンフォニー、(iii)ハチャトゥリアンのピアノ・コンチェルト。指揮はミトロポゥロス(Mitropoulos)、ピアノはオスカー・レヴァント(Oscar Levant)。この中でピアノ・コンチェルトが一番面白かった。レヴァントは島本君の話によるとまず三流だそうですが、それでも大したものです。音楽会がすんでから島本君と別れて、朝永先生と二人で晩食。それから「硫黄島」と言う映画を見ました(硫黄島上陸作戦の映画)。ホテルへ帰ったのが一二時。

二日はお昼に白戸氏の家でお雑煮とお寿司の御馳走。ハチャトゥリアンのコンチェルトを弾いてみましたが、とても難しくてどうもなりませんでした。夜は何とかいう(名前を忘れました)日本人の家でお正月の日本料理を御馳走になりました。伊勢海老から始まって、昔の日本のお正月のような御馳走でした。集った人は朝永、僕、角田(コロンビア大学の日本関係の先生でもう七〇歳だそうですが、六〇位にしか見えません)、大林(若い建築家)、ツカダ(「都」の主人)、それから名前を忘れましたが或るお医者さん(癌の専門家で一九〇五年からこちらにいる人)、この家の主人と奥さん。このお医者さんもう日本語を忘れたらしく、とてもしゃべり難そうでした。

三日(今日)は、靴を買ったり、それから下町の方に大きな本屋があるというので、行って見ましたが、バスに長く乗って少し気分が悪くなりました。五時の汽車でプリンストンへ帰り、今お風呂から上った所。

一月四日

今日研究所へ行ったら、手紙が三通来ていました。一八日と二二日と二七日のと。

セイ子がこちらへ来る件はどうしても四〇〇〇$では無理です。旅費が少なくとも一人六〇〇―七〇〇$かかるから。ヨーロッパからだと飛行機でも片道二〇〇$位なので(大体ここからサンフランシスコまでとヨーロッパまでと同じ位)、家族を連れて来るのが簡単ですが、日本までの旅費が馬鹿に高いのでどうにもなりません。ワイル先生が頑張ってもう二〇〇〇$も出してくれるといいけれど、ワイル先生のような御老人には一年がとても短く感じられるらしく、たった一年いるためにわざわざ日本から家族をよぶのはとても面倒で金もかかるし大変だろうとか言って、あまり熱心にやってくれないらしく、残念です。

お雑煮のない筈のお正月が、日本でも仲々食べられないような日本料理を御馳走になって、流石世界一のニューヨークなる哉と大いに感心しました。しかし、あまり食べ過ぎと飲み過ぎで朝永先生は風邪をひいてお腹を悪くしてしょげています。僕は余り飲まなかったから何ともないけれど。この前書いたかも知れないけれど、朝永先生は歯を全部引っこ抜いて総入歯を入れて、すっかり若くなりました。アメリカ製の歯を入れると日本語が下手になって英語がうまくなるから不思議です。ただし、入歯の値段が何と二五〇＄（九万円！）。それが仲々うまく合わないらしく、先生大分弱っています。何しろ、歯医者に通訳（?）を連れて行って、通訳を通して「ここが具合が悪い」と言うようなことを説明するのだから仲々うまく行かない筈です。

こちらは今年は特別暖かだそうで、今日はまた特別で、暑くて気持が悪くなりました。スチームをとめて、シャツ一枚でいても未だ暑い程です。しかし、こちらの気候は急に変るので、また今にひどく寒くなるのではないかと思います。

アイグルハートには英語は下手でいいから一度手紙を書いて下さい。クリスマスに風呂敷を一枚上げたらとても喜んでいました。

こちらで角谷氏みたいにどこかの先生になればセイ子も来られますが、これは一寸難かしそうです。と言うのは、先生になるには英語が一通り自由にしゃべれなければ駄目だから。角谷氏のおしゃべりなことは実に物凄く、アメリカ人でも角谷氏程しゃべる人はまずありません。この間の学会でも、大勢の間を飛び廻ってあらゆる人としゃべっている所、めまぐるしい程でした。僕にはあんな芸当は絶対に出来ません。

一月五日

プリンストンは新年になっても相変らずであまり新年らしい感じがしません。朝永先生が風邪をひいてこの一週間程頗る元気がなく気の毒です。しかしここの下宿のオバアサンが仲々親切で朝晩御馳走をこしらえてくれるので安心です。僕もおしょうばんで一緒に御馳走になりました。このオバアサンは主人が第一次ヨーロッパ戦争で戦死した由。惜しいことにこのオバアサンのしゃべる英語は一言も分りません。

お正月にニューヨークで日本料理を食べて以来、プリンストンへ帰ってからも日本料理が食べたくて仕方がありません。東京のお正月の話を聞くとよだれが出ます。さて、所で、この間の大発見(?)をヴェイユ先生に手紙で知らせた所が、先日長い返事が来ました。その始と終を紹介すると、I owe you some apologies for not writing you earlier about your interesting results; but, before doing so, I wanted to see whether I could verify them by my methods,……(この間三頁)……. Perhaps you can deduce this from your formulas. If there is anything in this letter which can be of any use to you in writing up your results, please feel quite free to use it. Let me know if you can answer questions A and B, or if you know of anything in that direction. I shall be very glad to hear of any further results which you may obtain on this subjects. 人の評判に反して、ヴェイユは非常に親切なので感心しました(ただしこの話、人に宣伝すべか

らず。二日の日に木下君に僕が大発見をしたと話したそうですが、余計な話はしないこと)。ところで、このヴェイユの問題AとBが仲々出来そうもなく弱っています。

アインシュタインが大発見をしたと言っているという話は前から聞いていたし、また、この間ニューヨーク・タイムスにも大きく出ましたが、こちらの若い物理学者の間では全然問題にしていないようです。大体アインシュタインの問題にしている事柄は既に時代遅れで、今の若い連中でこういうことをやっている人はあまりいません。今日研究所へ行く途中でアインシュタインに会いました。アインシュタインはゲーデル(Gödel)という数学者(大天才ですが人に会ったり話したりするのが大嫌いという変り者です)と二人でドイツ語で何かぼそぼそ話しながら歩いていました。

一月一五日(?)

一一日(消印)の手紙昨日着きました。

研究所は未だ休暇気分でメンバーの半分位しか来ません。変わったことは一向ありませんが、ただ一つ、この間の病気以来朝永先生が頗る気が弱くなってホームシックで日本へ帰る話ばかりします。少し僕にも伝染しました。朝永先生の言うことを少し紹介すると、「食物に飽きた」、「靴をぬいではだしになりたい」、「日本語で思う存分駄べってみたい」、「神通力を失った」、等々。この最後の「神通力を失った」と言う意味は一寸も新しいうまい考えが浮かばなくなったという意味です。この中僕が最も同感なのは「食物に飽きた」です。こちらの食物は確かに栄養豊富で消化がよくて理論上は中分なしですが、近頃どうにも飽きてしまって我慢ならなくなって来ました。この間の土曜日に後藤氏の家へ行ってウドンを御馳走になりましたがその美味しいこと。ただ残念なことに胃袋が小さくなっているらしく、日本にいたときのように沢山食べられませんでした。近頃レストランでうまいと思うものは野菜スープとトマトジュースです。

東京は寒いとありましたがこちらは馬鹿暖かく、こんなことはめったにないそうです。大学の庭に山吹のような花が咲いたという話です。

さて、この間きいたハチャトゥリアンのピアノ・コンチェルトのテーマを紹介すると

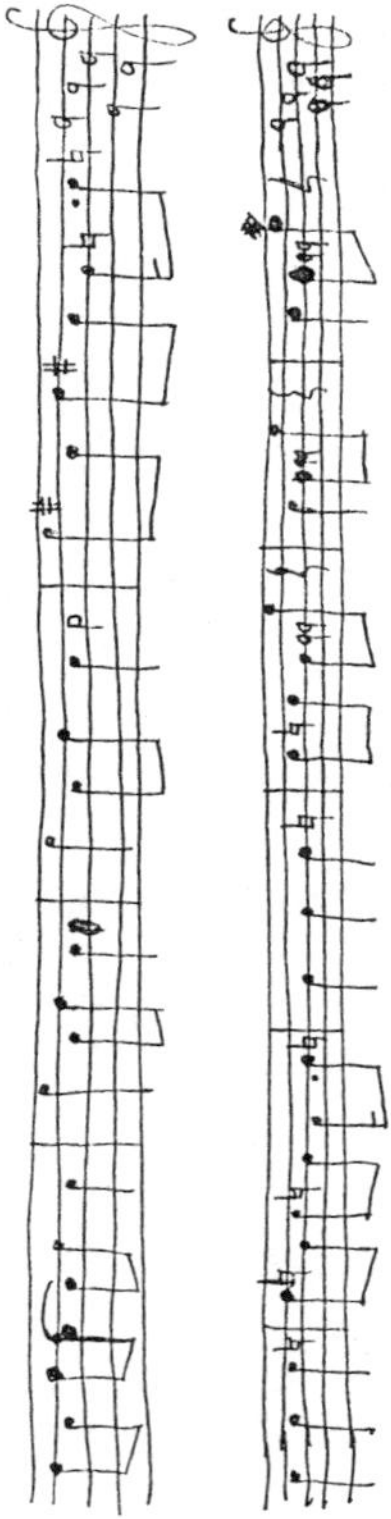

etc. 速さは♩＝120. このコンチェルトが仲々面白いので感心しました。もっともセイ子は余り好かないかも知れないけれど(少々騒がしい音楽だから)。

僕の今度の論文はヴェイユに出された問題を何とかしなければいけないので今苦心している所です。何しろヴェイユが出来ないのだから一寸大変です。

朝永先生が三等でこちらへ来たという話が有名になって日本の新聞や雑誌に屡々《しばしば》出るので、朝永先生プンプン怒っています。曰く「日本人は下らないことを気にしやがる」。

一月二二日

今日は日曜日。

近頃どうにも洋食に飽きてしまって昨日は遂に朝永先生と二人でまた後藤氏の家へ行って御飯を食べました。もう一人他にお客様があって、後藤氏と交互にしゃべり通しで、家へ帰ったら夜中の一時。

昨日スイスにいるワイル先生からクリスマスカードみたいな手紙が来ました。それに何と書いてあったと思う? 曰く、Mrs. Ellen Baer and Mr. Hermann Weyl take pleasure in announcing their marriage. January 1950. 僕は初め何のことかよく分からなくて、三度読み返して、驚いたり感心したり。ワイルは確か今年六五になった筈です。どんな奥さんを連れて帰って来るか楽しみにしています。

秘書のミセス・レアリーの話によるとワイルの前の奥さんはとても美しい人で、癌で亡くなったのだそうです(一昨年の夏)。

この頃ひどく朝寝のくせが出てきて弱っています。今朝は起きたのが一二時。その代り夜が遅くなって二時か三時。二月になると研究所がちゃんと始まるから、そろそろ早起きの練習をしようと思っています。今日はお昼を食べに出たら大学のスペンサー教授に会って、一緒にお昼を食べました。英語がうまくなったとお世辞を言われて閉口しました。

この頃日本から新聞や雑誌を送ってくれた人があって、それを夢中で読んでいます。隅から隅まで広告まで全部読みます(これで夜遅くなる次第なり)。

朝永先生は相変らずホームシックで頗る元気なく日本の話許りします。帰る前にオッペンハイマーをアッと言わせなければ残念だと言ったら、先生曰く「米の飯を食べなければうまい考えは出ない」。

一月二九日

今日は日曜日。また後藤氏の家へ行って御飯を食べて来ました。

今週は角谷氏が現われました。近頃現われないと思ったら、何でも階段から落ちて足を怪我したのだそうです。しかし相変らず元気でした。ボルチモア(Baltimore)からチャウ(Chow, 中国人)が講演に来て、その後で角谷氏とチャウと僕と中国料理を食べました。チャウは角谷氏より一桁上の物凄いおしゃべりで角谷氏が「フンフン」と感心して話を聞いていました。

今週はヴェイユの問題を考えて今最後の一コマが出来そうになっている所です。これが出来れば相当な大論文になる筈。一昨日完全に出来たと思ってヴェイユに出す手紙を書き始めたら、一箇所一寸具合の悪い所があって、昨日と今日とかかってそれを考えて今分りかけた所です。

弥永先生に頼まれた本最近買ったから早速送ります。こちらの本屋は日本と違って難しい本は一つも店に置いてないので買うのがつい面倒になります。弥永先生に会ったら宜しく。

近頃こちらは暖い日がつづいて気持が悪い程です。こんなことは極めて稀だそうです。アイグルハートがセイ子から手紙が来たと言っていました。内容については何も言わなかったけれど。

この頃少し英語の小説を買ったけれど、仲々読めません。買ったのは「The Complete Sherlock Holmes」「The Moon and Sixpence」「Uncle Tom's Cabin」等。こういう通俗的な本は安いので驚く程です(数学の本に比べての話)。しかし仲々読めないし、読めても一向面白くないのですぐに厭になります。「The Moon and Sixpence」は実に簡単明瞭な文章ですが一向に感じが出ません。中野好夫の日本語訳の方がずっと面白く読めます。

角谷氏と一晩ゆっくり話をしましたが、日本語のときは落着いていて昔と同じなので安心しました。

二月五日

今週から研究所もボツボツ始まりました。金曜日に、ワイル、ジーゲル、ド・ラーム、小平の四人でやるセミナリーの第一回目があって、ワイルが話しをしました。この次もワイルがやる筈で、僕がしゃべるのは大分先のことになりそうです。

金曜日の夜ニューヨークの白戸氏の家へよばれて、御馳走になりました。ヴェイユの問題が一段落ついてヴェイユに手紙を書いてしまって、今一休みしている所です。

ニューヨークで関西配電の重役に会いました。この人が岡潔氏と同級であったそうで、岡さんの話をいろいろしていました。フランスの数学の長老アンリ・カルタン(H. Cartan)から招待状が来たのに「カルタンにおれの数学が分かるものか」と言って紙屑籠へ投込んでしまった、というような話でした。岡さんはこちらでは非常に有名で皆に「岡はどうしているか?」と聞かれます。日本では今まであまり認められなくて気の毒です。

二月七日

ワイルの奥さんは未だプリンストンへは現われません。ヨーロッパからこちらへ来るときも手続が相当面倒らしく、結婚したからといってすぐに一緒に連れて来ると言う訳には行かないらしいです。ワイルの奥さんは昔ベヤー(Bear)とかいう物理学者の奥さんであったそうで、昔からよく知っているのだそうです。そしてもう大きな息子があるという話だから、かなりオバアサンなことは確かです。スイスからはパウリ(Pauli, ノーベル賞を貰った物理学者)が来ていますが、パウリが来るときも手続が都合よく行かなくて、二月も遅れてやって来ました。

今日ド・ラーム(僕と同じ数学をやっている人)が現われました。前にハーバードで会った人です。

二月一六日

今度からシカゴの田島氏の故智にならって、この封筒に日記(?)を付けて、一パイになったら出すことにしました。

今朝は九・四〇からセミナリーがあるので眠いのを我慢して八・三〇に起きて、九・三〇のバスにのって研究所へ着いたのが九・三五。日本では九・四〇からと言えば本当に始まるのは九・五〇位なのが普通だけど、こちらでは、九・四〇からと言うのにワイル先生九・三〇頃から教室に現われて黒板に式を書いたりしながら時計を見ていて、きちんと九・四〇から始めるので、ネボーには頗る不向きです。セミナリーが終わったのがちょうど一一時。一一時から今日は珍しくアインシュタインの講義がありました。これは、一般に知れると人が大勢押し掛けて大変だというので、研究所の中でも掲示板にはただ「一一時から講義あり」とあるだけで、講義の題目も講師の名前も書いてなく、ゼミのとき「一一時からアインシュタインの講義があるけれどこれは秘密だよ」と小さい声で口伝えに伝わってきました。アインシュタインは上着なし、えりのつまったジャケツを着て現われ、何かボソボソ言いながら黒板に式を書きはじめました。何を言っているのかと思ったら式の文字a、b、c、…をアー、ベー、ツェーとドイツ読みにしているのでした。時々英語の単語を忘れて、ドイツ語でtrans…と言いかけてつかえてしまうと、誰かがtransposeと言って後押しをするという調子です。終わったのが一二時半。お昼過ぎは、部屋でヴェイユへ出す手紙の式の書き込み。夜は朝永先生と飯を食べてビールを飲んで、映画を見に行きました。家へ帰ったのが九時。

二月一七日

今日は起きたのが一〇時。一一時のバスで研究所へ行ったらセイ子と弥永先生から手紙が来ていました。それからミセス・メリット(Mrs. Meritte)というオバアサン(或はオバサン、研究所の歴史部の教授の奥さん)の所へ英語を習いに行きました(先週の金曜から習い始めました)。研究所へ帰ったら一二時半。お昼はスープとサンドイッチとミルク。二時にまたバスにのって大学へ行き、二・一五—三・一五までセミナリーでしゃべって(これが一寸もうまくならないから不思議也)、ブラブラ家の方へ歩いて行ったら、後から呼ぶ人があるから、誰かと思ったらそれがボッホナー(Bochner)教授。初めて会ったのによく分かったと感心しました。岡は何所にいるか?と聞くから京都にいると言うと、岡の論文は正しいと思うか?と聞かれました。ボッホナーには岡の論文はサッパリ分からないそうです。街でコーヒーとアイスクリームを食べて、家へ帰ったら四時半。夜はチキンのライスカレーとアイスクリームとティー。風呂に入って今これを書いている所。

アイグルハートは近頃もう一人の秘書のミス・ブレイク(Miss Blake)というオバアサンが一週間程風邪で休んだため、いそがしくて大変らしいです。おかげでヴェイユへ出す返事のタイプも二週間もおくれて、やっと明日返事を出すという次第。

二月一九日

昨日は土曜、今日は日曜だからうんと寝ぼうしました。昨日はバスに三〇分程乗ってトレントン(Trenton)というお隣の町へ行ってディズニー(Disney)の漫画(映画)を見て来ました。

二月二〇日

月曜日。物凄く風が吹いて今までの中一番寒い日でした。夜眠くなってグーグー寝てしまったから日記はやめ。

二月二一日

今日一〇時に起きて、大いそぎで朝食をたべて一一時のバスで研究所へ。フランス生れのモレット(Morette)といぅお嬢さん物理学者が質問にやって来て大弱り。その他は一日研究室でジーゲルの論文を読んで暮らしました。今日も風は止んだけれど非常に寒く、一寸外にいると体の心まで冷えてしまいます。夜は朝永先生と夕食。スープと仔牛の肝臓とティーとアイスクリーム。

今日帰りにインド人のミトラ(Mitra)という数学者と一緒になったら、どうもプリンストンは食物が高いと言っていました。同感なり！　このミトラという人は大きな立派な格好で、お釈迦様の様に物静かです。小さいおしゃべりのインド人ラマナサンと正反対です。エジプト人のドス氏は近頃退屈しているらしく、いつも午前中はコモン・ルーム(お茶を飲む部屋)で新聞を読んで暮らしています。

二月二二日

一一時のバスに間に合わなかったので今日は家にいて勉強。天気が悪く、雨と雪の合の子みたいなのが降って、道が氷って滑って歩くのが大変です。明日は朝からセミナリーがあるから今日は早く寝る積りです。夜朝永先生と映画を見に行ったら、つまらなくて閉口しました。

二月二六日

昨日コロンビア大学で学会があってニューヨークへ出て来ました。ド・ラームが最近買った自動車に乗せて貰ってプリンストンからニューヨークまでドライブ。一緒に乗って来たのが、スイスから来た若い数学者、チェン(Chen)という中国人の数学者の奥さんと子供。ド・ラームは落着いていて五〇マイル位しか走らないから安心です。ニューヨークでド・ラームの友人の家へ一寸寄ってそれから大学に着いたのが一二時半頃。ファカルティー・クラブでランチを食べました。ド・ラーム曰く「ここは仲々よい所だけれど、どうも固苦しくて大きな声で話が出来ないのが困る」。ド・ラーム先生はこんなことばかり言います。

二時—三時ジーゲルの講義を聞いて、後の小講演は全部サボッて、大陸商事へ行き日本へ送る食料を註文しました。それから近所の「横浜亭」という日本飯屋で晩食(みそ汁、さしみ、奴豆腐)。これで一$。それから白戸氏の家へ行ったら、これから映画でも見に行こうと言うので、白戸氏、奥さん、と三人でダウン・タウンへ行って、イタリーの映画「自転車泥棒」を見ました。イタリーのみじめな様子がよく出ていました。お茶を飲んでホテルへ帰ったのがちょうど一二時。

今日は角谷氏が来る筈で、今待っている所です。湯川氏が入院したという話なので、一緒に見舞に行く積り。

二月二七日

昨日(二六日)お昼頃角谷氏が現われたので一緒に「横浜亭」で鰻飯を食べて、それから湯川先生の家へ行きました(こちらの鰻は余り大き過ぎて味はあまりよくありません。大味なり)。家では奥さんと子供の一人が風邪で寝ていて、起きていたのは大きい方の子供一人だけという有様。それから病院に行ったら湯川先生案外元気そうにしているので安心しました。大きな病院で、先生の部屋は一〇階の一〇六六番。それから白戸氏の家へ行って晩食を御馳走になりました。角谷氏が誰とでも上手に話をするので大いに感心しました。

八時半からカーネギー・ホールで音楽会。モイセイビッチ(Moiseiwitch)のピアノを聞きました。曲目はベートーヴェンの熱情、シューマンのクライスレリアーナ、ショパンの即興曲、六つのエテュードとスケルッツオ、ムソルグスキーの展覧会の絵。表現力が豊かなので大変感心しました。ムソルグスキーではオーケストラみたいに色々な音を出し、その中の「卵の殻の中のひよっこのバレー」では滑ケイな感じがあんまりよく出たので、笑い出した人がいた程です。拍手かっさいでアンコールに五つ弾きました。旋律が幾つ重ってもそれがチャンと別々につながって聞えるように弾くから不思議です。

モイセイビッチというのは大分昔から有名な人で、僕が未だ中学生のとき日本で聴いたことがある人だから、もう六〇に近いのではないかと思います。見た所白髪が大分ありました。所で、映画の方は日本語の字幕が現われないので、時によると全然何が何だか訳の分からないことがある程也。英語は仲々進歩しません。近頃ド・ラームとしばしば数学の話をするけれど、ド・ラームの英語はすさまじいフランス訛で、仲々分からなくて滑ケイです。

今日プリンストンに帰って来ました。

三月七日

二二日のと二七日の手紙着きました。

近頃一寸いそがしくなったので日記は一寸お休み。

まずヴェイユの問題についてはヴェイユに手紙を出した所が、返事が来て、僕の出発点のヴェイユの定理(この前の手紙にあった)がよく考えて見たら少しあやしくなったと言って来たので弱っている所。

次に、今論文のタイプが出来たので式を書き入れている所ですが、これが仲々大変。

今年の夏の国際数学者会議の準備のためリポートを書いたり、また、この三月の二一日

―二五日に下準備の相談にニューヨークへ行かなければいけません。

昨日MITのマウトナー(Mautner)から手紙が来て、MITに講演に来てほしいと言って来ました。一日一時間ずつ三日しゃべってほしいそうです。お礼に一〇〇$くれる由。三時間で一〇〇$だから一時間三三$の割。

次にプリンストンのセミナリーをどういう風にやるかド・ラームと相談しなければならないので、これも仲々時間がかかります。

忙しいこと以上の通り。

近頃こちらのコーヒーのうまくないのはレストランでコーヒーの入れ方が下手だからということが分かりました。レストランに行くと丸い硝子の大きな瓶の中にコーヒーが入って、それが電熱器の上に乗っていて、コーヒーを註文すると、これをコップについでくれます。それで、この丸い硝子の瓶にコーヒーを入れた直ぐ後に飲めば仲々コーヒーらしい味がするけれど、しばらく経つと香りが抜けてしまってただの苦い水になってしまいます。ところで、レストランに行ったときちょうどコーヒーを入れた直後だったというのは余程の運のいい時で、大概は苦い水を飲まされるという次第。

三月二一日

一五日の手紙昨日着きました。

お正月にニューヨークで写した写真を同封します。天気が好くなかったので、色が少し変だけれど、その他は仲々良く撮れています。写したのは島本君(ハワイ生れの二世)です。場所はニューヨークのセントラル・パークの池の縁です。広大な公園で、夜この中で道に迷うと仲々出られなくなる程です。僕のスマートになった所をよく見るべし。帽子にも穴があいていません! 朝永先生が二五〇$の入れ歯ですっかり若くなったのがよく分かります。先生葉巻を吹かしていますが、このとき吹かしすぎて後で気分が悪くなり、それ以来全然葉巻を吹かさなくなりました。

MIT(これは工業大学で、ケンブリッジにあります)には五月の初めに行くことにしました。

三月二八日

ニューヨークからは昨日帰りました。ニューヨークでは土曜と日曜に夏の国際会議の下相談というのがあって、五人集りましたが、こちらの人の相談と来たら、四人が同時にワンワンしゃべるという物凄さで、僕は一言も口を出す隙がありませんでした。

こちらでも風邪は可成多いようです。日本と余り違わない位です。部屋が温くてもやっぱり風邪をひくから不思議です。ニューヨークで白戸氏の家へ行ったら、子供が風邪でウンウン言ってました。

ヴェイユの問題は考えたけれど出来ません。ヴェイユ先生も出来ないと見えてウンとも言って来ません。仕方がないから、そこだけ抜かして論文を書く積りです。

四月一一日

僕も到頭風邪をひいて、すっかり弱ってしまった。先々週の金曜から熱が出て、一週間程寝た切り、この頃は食事のときだけ外に出られるようになったけれど、仲々直らなくて弱っています。今日は研究所に行ってみたら、セイ子の五日の手紙が来ていました。こちらの風邪は体中元気がなくなって頭がぼうとして、何をする元気もなくなってしまうので困ったものです。もう一週間もすれば元気になると思う。心配すべからず。

この間『細雪』等着きました。難しい本を読むとすぐ眠くなるから日本語の小説と英語は子供の漫画だけ読んでいます。その中子供の漫画の本を送ります。毎日一二時間寝ます。今日は頭がボーとして何にも書くことが出て来ないからこれで止め。文章が散マンなのは風邪のセイなり。

四月一七日

研究所も後三週間で夏休みです。夏休みになったらまずケンブリッジへ行きます。先日角谷氏が現われましたが、そのときには一緒にケンブリッジへ行くと言っていました。角谷氏は相変らず飛び廻っています。

この間朝永先生が湯川先生の所から沢庵を貰って来て後藤氏の家へもって行って米の飯を作って貰って食べた所が朝永先生それ以来胃が悪くなって今日は寝ています。僕はその日から急に風邪が直りました。風邪の間中『細雪』を読んで暮らしました。三回読みました。

セミナリーでこの間二回しゃべりました(一回は風邪だのに無理してしゃべったのでこれがよくなかったらしい)。ワイルがvery clear！とほめてくれました。皆チャンと聞いていて一寸間違えても直ぐに注意するから大したものです。

今日のニューヨーク・タイムスに熱海の火事の写真が出ていました。弥永の別荘売れない中に焼けたかしらと心配しています。ニューヨーク・タイムスは何十ページもあって熱海の火事の写真まで出るのだから呆れたものです。

四月二四日

昨日の日曜にド・ラーム教授と若い物理の人と僕と三人で自動車でニューヨークへ遊びに行って来ました。運チャンはド・ラーム。ド・ラーム先生は有名な登山家だけあって無闇に早く走るような無茶はしないから安心です。メトロポリタン博物館を見てそれから映画を見てフランス料理を食べて夜一一時頃家へ帰りました。メトロポリタン博物館でゴッホの画の本(昔誰かさんが見せてくれた本)を(大枚五$を投じて)買ったから、近い中に送ります。映画は「Chaplin in the City」というのでサイレントだから実によく分かりました。チャップリンは昔通りステッキをもって現われました。フランス料理はミディ・レストランという小さな店で食べました。ド・ラームの話だと大体本物のフランス料理と同じだそうで、渡米以来初めての御馳走でした。一〇種類位現われた前菜が素晴しく、ワインが素晴しく、最後に素晴しいコーヒー(こちらへ来てから初めてのコーヒーらしいコーヒーでした)が出ました。

ド・ラームとは大分仲好しになりましたが、何しろ言葉がうまく通じないので大弱りです。

四月二九日

僕は今朝プリンストンを発って一二時半頃ニューヘブンへ着き、角谷氏に会って、また若い学生の自動車に乗せて貰ってケンブリッジへ来ました。着いたのが五時頃。角谷氏と晩食をすまして今ホテルで休んでる所です(角谷氏はパーティーに出掛けましたが僕は疲れたから止めました)。マウトナーが世話してくれたこのホテルは仲々上等だけど、高いのが欠点也(一晩六$)。角谷氏の話によると、マウトナーとしては招待した以上、そう安ホテルへ案内するわけには行かないのだそうです。

研究所の方は一昨日今年度最後のセミナリーがあって、今もう夏休みです。ワイル、ジーゲルは来週ヨーロッパへ出発する由。こちらの人はヨーロッパへ行くのを、われわれが一寸東京から諏訪へ行く位に考えているのだからうらやましき限りです。最後のセミナリーではド・ラームが一時間しゃべり、僕が一時間半程しゃべりました。その後で、町へ行って皆でランチを食べました。ワイル、ジーゲル、ド・ラーム、アレキサンダー(Alexander)、チェン、僕。ジーゲルがワインのコップを上げて「われわれのセミナリーのために乾杯」。

明日はまずマウトナーの家でお昼を食べて、午後ボストン・シンフォニーを聞きに行く予定。曲目はベートーヴェンの『ミサ』。切符は角谷氏が何所からか巧みに手に入れてくれました。

近頃段々ド・ラーム等の偉い数学者とヘボ数学者の区別が分かって来ました。角谷氏に会うと色々な話を聞かしてくれます。マウトナーが今度MITをやめさせられるので、職をさがしているとか、仲々アメリカの数学者達も楽ではないようなり。

五月三日

僕は一昨日と昨日とMITで講演(?)をしました。今日第三回目があってそれでおしまい。

今日は講演が済んでからまたマウトナーの家へ行って晩食を食べました。レコードを聞かして貰ったり。こちらではレコードは近頃皆長時間レコードになってしまって、ベートーヴェンのヴァイオリン協奏曲が一枚に入っているから感心也。マウトナーは教授かと思ったら未だ講師で、せまい家に住んでいました。場所は上等だけど。

今日はベルグマンに招ばれました。これは大先生で、最近奥さんを貰ったそうで、その奥さんが現われました。日本人だから魚と米がいいだろうというわけで、魚と米の入った御馳走が出ました。

講演(?)はザリスキー(Zariski)だのホッジ(Hodge)だのという大先生が最前列に頑張って聞いているので閉口の至りです。

ホテルは余り高いので、ベルグマンに頼んでこの前泊った下宿へ引越しました。この前ここへ来た時に比べると確かに英語が進歩しているから不思議也。

ボストン・シンフォニーのミサ・ソレムニスというのを聞きました。場所が前過ぎて、音が大き過ぎたけれど、一寸感心しました。終わったとき誰も拍手しないので、変だと思ったら、これは神聖な曲だから、拍手はしないのだそうです。

五月九日

今日いよいよケンブリッジを発つ所です。

ニューヘブンに行きます。

毎日のようにベルグマンが昼飯を御馳走してくれます。日曜日(一昨日)はベルグマンの家へ行って御馳走になり、夜ベルグマンと奥さんと三人で映画を見に行きました。奥さんが説明してくれたのでよく分かりました。

土曜日には島本君が中華料理を御馳走してくれました。ハワイのような本式の中華料理でないけれど、プリンストンのよりは大分上等です。

ベルグマンもその奥さんもポーランド人だけれど、数カ国語を自由にしゃべるのが不思議なり。

こちらは土曜日はひどく暑かったけれど、日曜日から風が出て馬鹿に寒くなりました。土曜日は七〇度、昨日は四〇度位。昨日フィンランドから来たアールフォースに会ったら寒くなって喜んでいました(アールフォースは一寸オットセイに似ています)。

昨日は午前中はハーバードでベルグマンに会い、午後はMITへ行ってマウトナーに会いました。マウトナーに色々質問されて弱りました。マウトナー先生は僕の論文に興味をもっているらしく、色々質問するので大弱りです。

今日はこれからハーバードへ行ってベルグマンに会い、お昼を食べて二時の汽車でニューヘブンに発ちます。未だ寒いのに夏時間になりました。

五月一七日(?)

昨日の晩プリンストンへ帰りました。長い旅行でクタクタに疲れました。ニューヘブンへ着いたのは火曜の午後。角谷氏が迎えに来ていて、或るアメリカ人(名前は忘れた)と海岸へドライブ。ニューヘブンも小さな町(プリンストンに比べれば一〇倍位大きいけれど)で大して見るものもありません。夜そのアメリカ人の家へ行って、日本で写して来た天然色映画を見せて貰いました。

水曜にはド・ラームが講演に来たので、それを聞いて、夜はド・ラーム、ヘドルンド(Hedlund)、ヤコブソン(Jacobson)、……と一緒に晩食。

木曜にはド・ラームとホイットニー(Whitney)が近所の山でロック・クライミングをやると言っていたので、角谷氏とデュベー(Dubé)という学生と見に行きました。惜しいことに、われわれが山の上に着いたときにはド・ラームとホイットニーはもう登ってしまっていたけれど、今度はデュベーとホイットニーが下まで下りて、また登る所を見物しました。ホイットニーが角谷氏と僕にやって見ないかとすすめたけれど、これは断りました。

金曜にはミセス・ダウカー(Dauker, 数学者)とミセス・カウフマン(Kaufman, 物理学者)が現われたので皆でお茶を飲んだり話をしたりしました。ミセス・カウフマンは研究所にいるのに、研究所では一度も話したことがなかった人です。頭がよいので大いに感心しました。

土曜にダウカーがケンブリッジへドライブして帰るから角谷氏に一緒に行かないかとす

すめたけれど、流石の角谷氏も疲れたと見えて行きませんでした。

土曜の夜と日曜は角谷氏と色々話をしました。

五月二四日

どうも日本人は珍らしいので直ぐに名前を覚えられてしまって閉口です。こちらは仲々アメリカ人の名前が覚えられなくて弱ってしまいます。こっちで知らない人でも向うでチャンと知ってるので大弱りです。

この頃研究所はもう大分人が減って淋しくなりました。大先生方はもう全然現われません。オッペンハイマーは時々顔を見せるけれど。

研究所のミセス・カウフマンに彼女が考えている物理に使う数学の問題を出されましたが、仲々出来ません。この人の御主人は言語学者の由。ユダヤ人らしく、ヘブライ語をしゃべります。この人の頭のよいのには感心しました。

六月二日

昨日ド・ラームと研究所の裏の森の中を散歩しました。トーマス・マンの『魔の山』に出て来るダボス(Davos)へ行ったことありますか？ と聞いたら、二度スキーに行ったそうです。『魔の山』を読むととてもよい所らしいけど？ と聞いたら、結核病院とホテルばかり多くてあまりよい所ではないそうです。

六月一六日

近頃マッキー(Mackey)という若い数学者が現われてこの人と大分仲好しになったのでますますいそがしくなりました。夕方六時頃になるとド・ラームがそろそろ帰りませんかとさそいに来て、ド・ラーム、マッキー、僕、等々ド・ラームの自動車に乗せて貰って飯を食べに行きます。

一昨日からMITのマウトナーが現われて、マッキーとマウトナーに昔紙上談話会に書いた論文の話をしたら、それは未だ知られていない結果だということで驚きました。そこでこれを英訳して何所かに発表する積り。ますます仕事が増えて大弱り。

夏の予定は、嵯峨根先生が自動車を運転してサンフランシスコへ行くと言うので一緒に乗せて貰ってサンフランシスコで岩沢君に会い一緒にシカゴへ行き、シカゴで夏を過して八月末にケンブリッジへ行く筈。ここを出発するのは六月二五日頃の予定。

こちらの気候は実に変てこです。馬鹿に暑かったり、そうかと思うと昨日はスチームを通す程寒かったり。夏は物凄く蒸し暑いそうです。

六月二八日

二五日の晩にニューヨークを発って二六日シカゴ着。二六日の晩にエイムス(Ames)という小さな田舎町に着きました。ここの大学に嵯峨根先生がいます。明日朝早く自動車でここを発ってサンフランシスコに向う予定。

所でシカゴで新聞を見たら朝鮮で戦争が始まったと出ていたので大いに驚き心配している。まさか世界戦争になる事はあるまいと思っているけれど。東京の空気は如何?

この町は小さな町(プリンストンと同じ位)で、大学があります。農科等が主だそうで、庭が広くてプリンストンよりはズッと綺麗です。それから食事の味がよいのに感心しました。ニューヨークからシカゴへの汽車は冷房になっていて上等だったけれど冷房がきき過ぎて夜寒くて困りました。中央線の夜行に乗ったみたいに足の先から段々冷えて来てよく寝られなくて大弱り。

ここでは実験室をみせて貰ったり、パーティーによばれたり。このパーティーが全然専門の違う先生ばかりでトモナガ先生の名前を知らないのだから呆れました。

六月二九日

今朝から自動車旅行を始めました。アイオア(Iowa)のエイムスから出発して六〇〇マイル走り今オガラーラ(Ogallala)という小さな町のモテル(自動車旅行者が泊る簡易宿泊所)へ泊っている所。今日は一日広い畠の中を走りました。広大な畠の中にポツポツ百姓の家があって、働いてる人が殆ど見えないのが奇観です。所々飛行場があって百姓が使うらしき小さな飛行機がいます。朝鮮事変が心配で仕方がないので、ここに着くと早速ラジオをかけたらアチソンが演説をしてる所でした。それがよく分からないし、別に変わったことも言わないので、じれったいこと限りなし。

六月三〇日

六時半出発。ロッキー・マウンテンに登る。一万尺の高さまで自動車道が付いているので感心しました。砂漠の中を数百マイル走って小さな町で泊る。夜九時頃着いたので何所の宿屋も満員で物置小屋みたいな所に泊りました。映画に出て来るカウ・ボーイみたいなのがいるのが奇観です。

七月一日

朝六時出発。数百マイル砂バクの中を走ってジェンセン(Jensen)という町の近くの恐竜(Dinosaurs)の骨が出た跡を見物。砂バクの広いこと――数百マイルの間見渡す限り何にもないのだから呆れました。バーネル(Vernel)という所で昼食。食事の安いこと、プリンストンの三分の二以下です。また砂漠の中を数百マイル走ってプロボ(Provo)で晩食。そこから少し行ったスパーニッシュ・フォークという町のモテルへ泊って、今この手紙を書いている所。ここは少々大きな町で映画館や何かがあります。それからインディアンにもたまに会います。インディアンは日本人と全く同じ顔をしています。あまり広い砂漠の中を走りながらぼんやり考え込んでいたので少々頭がボーッとして神経衰弱みたいになりました。

七月二日

スパーニッシュ・フォークを六時出発。——ブライス・キャニオン国立公園(Bryce Canyon National Park)へ入る。入口で昼食。ちょうど一二時。——ここの見物の済んだのが四時、今オーダービル(Orderville)という小さな村のモテルに泊っている所。ブライス・キャニオンというのは要するに妙義山を大きくしたようなもので、岩が真赤だから頗る綺麗です。絵葉書を出します(普通便で)。ただしとても広くて自動車でなければ見物出来ません。長さ数十マイル。

七月三日

朝六時オーダービルを出発。ザイオン国立公園(Zion National Park)を見物。ここは大きな岩山の間の谷間であまり大きくてどうにもならないと言った所です。ここから六〇マイル程草原の中を走ってヤコブ・レイク(Jacob Lake)へお昼頃到着。自動車の具合が悪くなったので、ここで修繕して貰ってその間に昼食をすませました。ここは森の中の一軒家です。ここから四〇マイル程走って有名なグランド・キャニオンの北側に到着。深さ三千尺、幅数マイルという谷の縁で、ただ大きいのに呆れるばかりでした。ここからヤコブ・レイクまで引返して、更に四〇マイル走ってマービー・キャニオン(Marbie Canyon)という所に到着。今ここのモテルに泊っている所です。ここはアリゾナ(Arizona)の砂漠の真中のモテルが一軒、レストランが一軒、ガソリン・スタンドが一軒、インディアンの家が一軒、これだけから出来てる村で、見渡す限り真赤な砂原(小さなサボテンが生えています)、その端は真赤な岩山で、周囲数十マイル、他に何もないという所です。それでも自家発電で電灯もついてるし、お湯も水も何時でも出るし、レストランは冷房になっています。夕方食事が済んでから散歩に出て木の化石を拾いました。化石がゴロゴロおちています。明日は朝四時半に起きてグランド・キャニオンの南側を見る予定。グランド・キャニオンの北側から南側に廻るのに、ここを通って更に一〇〇マイルも行かなければならないのだから呆れたものです。

七月九日

自動車旅行を終ってサンフランシスコに着きました。旅行は話に聞いていた通り金が要らず愉快でした。

所がサンフランシスコへ着いて新聞を見ると朝鮮の戦争が大変なことになっていて大いに驚きました。そして非常に心配になって、朝から晩まで心配して何だか頭が変になってしまった。

七月二一日

一七日にシカゴに着きました。早速ヴェイユに会いました。それ以来毎日一緒に昼食をして色々話をしています。ヴェイユの偉いのには大いに感心しました。およそ数学のことならば何でも知っています。大学にオフィス(部屋)を貰って毎日勉強しています。ヴェイユのそばにいると、非常に勉強になります。その代り疲れるけれど。

八月二日

セイ子の手紙二つ拝見。東京では皆落着いてる様子、安心しました。

僕はここへ来てから全くヴェイユ先生につききり見たいになって朝から晩まで数学許りやっています。ヴェイユの頭がよくて偉いのには全く感心しました。超人です。およそ何でも知っているし、僕の考える様なことは大抵何でもヴェイユ先生が前に考えたことがあるという次第で、手も足も出ないと言った感じです。ヴェイユも家族はフランスにいて一人でインターナショナル・ハウス(僕と同じ所)に住んでいるので毎日何度も会います。お昼は大抵一緒に食べます。その度に問題を出されて大弱りです。昨日はこちらから問題(可成難しい奴)を出してやったら、今日チャンと解いてしまったので、また感心しました。これが今考えている僕の論文の出発点になる予定。プリンストンにいたときの三倍程勉強になります。岩沢君も質問攻めでフーフー言っています。こんなに勉強するのは生まれて初めてだそうです。

先週の火曜日にはお茶の後で僕が講演(?)をしました。ここにブラジルから来ているナッハビン(Nachbin)という数学者がいますが、この人の話によると、ヴェイユがブラジルへ来たとき、始めは全然ポルトガル語がしゃべれなかったのが二カ月後にはもうポルトガル語で講義をした由。

朝鮮は頗る旗色が悪いようなのでまた心配しています。弥永先生が来たら色々話が聞けると待っています。この二週間数学ばかりで頭がボーとしました。あんまり一つ事許り考え過ぎると頭が固まったみたいになるので弱ったものです。

ヴェイユが散歩好きなので何度も一緒に散歩に行きました。ところがヴェイユの散歩というのが、恐ろしく早く歩くので、しかも一度に三マイル位は歩かないと気が済まないらしいので、折角の散歩も仲々楽ではありません。おまけに歩きながら絶えず数学の話をするのだから大変です。あんまり一生懸命に数学ばかり考えるので、夜数学が頭にこびり着いて寝られないのは弱ったものです。おまけに今いるインターナショナル・ハウスはつまり学生の寄宿舎なので朝やかましくて寝ぼうが出来ないので大弱りです。

八月二八日

シカゴの最後の週になってシュバレー、角谷、吉田、中山の諸氏が来て、ひどくいそがしくなって、クタクタになりました。弥永先生が二四日に来ると言うので待っていた所が、飛行機が遅れて来られなくなったので、二五日に大急ぎでプリンストンへ帰りました。プリンストンではチャウが待ち受けていて、この秋から半年ジョーンズ・ホプキンス大学の客員教授になって来て欲しいと言うので今考えている所です(この件極秘也)。これが来年だと都合がよいけれど今年では研究所と重なってしまうし、月給も税金を差引くと研究所でくれるのと大差ないし、弥永先生と相談してみようと思っています。明日はケンブリッジへ行きます。ケンブリッジでは勿論早速弥永先生に会える筈。

僕はシカゴでヴェイユの指導のおかげでまた大発見(?)をしました。

九月一八日

国際会議以来いそがしくて手紙を出す閑がなくてセイ子心配してはいないかと心配しています。何しろ二〇〇〇人も数学者が集ったので頭が混乱してしまいました。いつも弥永先生と一緒です。今先生についてニューヨークへ来た所です。ジョーンズ・ホプキンスの件は交渉の結果一年間客員準教授として六〇〇〇$貰えることになりました。ただしビザと旅券のことがどうなるかよく分からないので今交渉中です。これがうまく行けばセイ子達を呼べることになりそうです。

僕は国際会議の後で七日と八日に話をしました。始めは七日の多変数関数論のコンファレンスで話をすることになっていたのが、ザリスキー教授が八日の代数幾何のコンファレンスでも同じ話をしてほしいと言うので、七日と八日と両方しゃべりました。代数幾何のコンファレンスはイタリー人が多く、話が直ぐにフランス語かイタリー語になってしまうので、大弱りでした。ザリスキー、ヴェイユ等は英、独、仏、伊を自由にしゃべるのでうらやましき限りです。

僕の今度の結果はヴェイユ、ザリスキー、シュバレー、それからセベリ(Severi)、セグレ(Segre)等イタリー学派の注目を惹いたようです。

九月二七日

一七日の手紙着きました。弥永先生は二一日の晩ニューヨークを発った筈です。やっと落着いた気分になりました。

研究所はメンバーが殆ど入れ替わって知っている人は僅かになりました。ミス・アイグルハートも今度研究所を止めてニューヨークの学校の先生になりました。ド・ラームはスイスへ帰ってしまったし、ワイルは未だ帰って来ないし一寸つまりません。岩沢君はモソモソしていて英語はあまりうまくなりそうもありません。それでもモンゴメリーの説によると去年の僕よりうまい由。僕は若しもジョーンズ・ホプキンスの先生になればもう一寸上手になる予定也(ボルチモアには日本人がいないから)。

今日チャウから手紙が来てジョーンズ・ホプキンスの話は大体うまく行きそうです。明後日一寸ジョーンズ・ホプキンスまで行って来る積りです。

二一世紀の主役へのメッセージ

しばしば指摘されるように、急速な科学技術の進歩と旧態依然たる世界の政治機構のアンバランスは人類を不気味で奇怪な状況に追い込んだ。その最たるものは核兵器をめぐる状況であろう。

現在、世界の大国が保有している核兵器の総破壊力は宇宙的規模に達しているという。核戦争が勃発すれば二一世紀に引き継ぐべきこの世界は消滅してしまうであろう。敵国から奇襲先制核攻撃をかけられた場合、自国民の何割かが生き残って、残りの核兵器で敵国の大半を破壊する、このために十分な核武装をもつ、それが核抑止力である、というような話を聴くと正気の沙汰とは思われないのであるが、核抑止力によって辛うじて平和が保たれているというのが世界の現実の姿であろう。人類が自慢する理性はどこへいってしまったのであろうか？　理性の片鱗でもあれば当然世界の大国は首脳会談でも開いて核兵器を全廃すべきであろうが、現状ではこれは非現実的で不可能である。しかしこれが非現実的で不可能であるという所に不気味で奇怪なものが見られる。

このような不気味で奇怪な世界をつくってしまったわれわれ現代の大人には、二一世紀をになう子供たちにメッセージを送る資格はないと思うのであるが、それでもメッセージをといわれるならば、ただ子供たちが二一世紀の世界の政治機構を、もう少し理性的なものに改めるよう努力することを望むのみである。

（国際児童記念「二一世紀の主役へ、世界一〇〇人のメッセージ」一九八〇年一月）

解説　「ナマケモノ」になりたかった勤勉な数学者

上野健爾

本書の題名の一部ともなった南米の熱帯雨林に住む「ナマケモノ」は木の上で生活し、一日一五時間も眠り、動きもきわめて緩慢であるという。しかし、雨が降って河の水位が上昇しまわりに水が押し寄せると、「ナマケモノ」の名とはうってかわって、水中を実に上手に泳いで素早く移動する。本書の著者小平邦彦はこの「ナマケモノ」の生活を理想としながら、数学の大海の中を自由に泳ぎ回り、不朽の成果を挙げた二〇世紀を代表する数学者である。

小平が数学の本格的な研究を始めた一九三〇年代後半から四〇年代初頭にかけては、我が国が戦争への道を歩んだ時期であり、研究には最悪の環境であった。しかし、当時の我が国の数学界では世界のトップレベルの研究が続出した。当時は外国との交流はほとんど途絶えており、研究成果は、大阪帝国大学理学部数学教室の編集によってガリ版刷りで出版されていた和文の雑誌『全国紙上数学談話会』にまず発表されるのが常であった。この雑誌が高度の内容を含んでいたことは、「マッキーとマウトナーに昔紙上談話会に書いた論文の話をしたら、それは未だ知られていない結果だということで驚きました。そこでこれを英訳して何所かに発表する積り。」(二九七ページ)と本書に記されていることから想像できよう。小平の名を一躍有名にした調和積分に関する研究もこの『全国紙上数学談話会』にまず発表された。英語の論文は戦後発表され、ヘルマン・ワイルの絶賛を博した。

一九一七年にワイルは『リーマン面の概念』を著し、一九世紀のリーマンの仕事を現代的に書き直した。それは式で定義された図形(代数多様体)のうちで一次元の図形(代数曲線)に関する理論であった。この結果を二次元以上の代数多様体に拡張する研究は主としてイタリアで行われた。イタリアの数学者の研究は高度の直観に基づいており、数学的にはきわめて不完全な理論であった。本書でもイタリア学派の後裔であるコンフォルトの数学に対する姿勢が記されていて興味深い(二七六―七ページ)。イタリア学派の代数幾何学を厳密な数学にする努力は一九四〇年代から五〇年代にかけての代数幾何学の大きな課題であった。

小平はプリンストンでD・C・スペンサーという優れた共同研究者を見出し、五〇年代以降の代数幾何学、複素多様体論の研究に指導的な役割を果たした。一方、時代は三〇年代にさかのぼるが、英国の数学者ホッジはリーマンやワイルの理論の一部を自ら創設した調和積分論を使って二次元以上の代数多様体に拡張することに成功した。実はこのホッジの証明にはギャップがあり、小平による調和積分の研究はこのギャップをうめるとともに理論をさらに精密化したものであった。ワイルはこの論文を高く評価し、一九四九年に小平を米国プリンストン高級研究所に招待した。

本書の第Ⅳ部は、プリンストン高級研究所に招待されたおりの著者からセイ子夫人への手紙の抜粋からなっている。手紙の中に食事の話が多いのに若い読者は驚かれるかもしれないが、本書の「はしがき」にもあるように戦中、戦後の食事にもこと欠く生活から物質的に豊かな「お伽の国」アメリカでの生活の報告である。それ以上に貴重であるのは、プリンストン研究所をはじめとしてアメリカでの多くの優れた数学者との交流が記され、小平の数学研究への言及が随所に見られることである。

二〇世紀を代表する数学者であるA・ヴェイユ(シモーヌ・ヴェイユの兄)との数学上のやりとりは貴重な証言でもある。本書の後半部に言及されているように、このA・ヴェイユとのやりとりによって、小平はケーラー曲面の場合のリーマン・ロッホの定理の証明を完成している(二七六ページ)。当時としては驚異的な結果であった。リーマン・ロッホの定理は代数多様体の研究の基礎になる重要な定理である。その一般的な場合の証明は五二年にプリンストンの研究所にやってきた、若いドイツ人数学者ヒルツェブルフによって完成された。ヒルツェブルフの小平追悼文は、当時のプリンストンの研究所の雰囲気と小平との交流を述べた貴重な証言である(邦訳「小平邦彦：数学者、わが友人、わが師」『数学のたのしみ』第二〇巻、日本評論社)。

五〇年代のプリンストン研究所は世界の数学の中心地として数学の新しい流れが形成されていった。小平はこの中にあって多くの貢献をした。小平の論文をひもといた者は誰でもその明晰判明な記述に魅了される。難しい事実が、当たり前のことのように自然に導き出されているのに驚嘆する。本書でも繰り返し語られるように、明晰判明に理解することが小平にとっては重要なことであった。そのためには、外からは「ナマケモノ」のように見えても並々ならぬ努力があったことは「ノートを作りながら」に見事に描かれている。

小平は数学に関して独特の考えを持っていた。数学的な現象が自然界にあり、それを知るためには純粋な感覚の一つである「数覚」が必要であると説いている(七ページ)。数学上の新しい事実は「発見」されるのであって「発明」されるのではないという小平の言明にはほとんどの数学者が同意するであろうし、「数覚」の存在にも賛成する数学者が多いであろう。数学が自然科学を記述する単なる言葉でないことの例として小平は「単なる言葉にブラック・ホールまで予言する力があるとは考えられない」、「量子力学においては数学が全く神秘的魔法的な役割を演じるのであって、到底単なる言葉とは考えられない」と述べている(二一ページ)。またこうした観点から、小平は数学を理解することの不思議さ、難しさを繰り返し述べている。

小平は雄弁ではなかったが、独特のユーモアで語った。その多くは、現代の科学技術文明の将来についてであり、我が国の将来についてであった。また、その一方で、ピアノを弾き音楽をこよなく愛した著者の話には、音楽や音楽家の話がさりげなく登場する。本書にそうした小平の種々の側面を見出すことができよう。また、小平の誠実な人柄は「このような不気味で奇怪な世界をつくってしまったわれわれ現代の大人には、二一世紀をになう子供たちにメッセージを送る資格はないと思うのであるが、それでもメッセージをといわれるならば、ただ子供たちが二一世紀の世界の政治機構を、もう少し理性的なものに改めるように努力することを望むのみである」(「二一世紀の主役へのメッセージ」)と記したところに如実に現れている。

小平の晩年の活動は数学教育に向けられた。本書の「はしがき」にもあるように、アメリカ滞在中に「New Math」運動の渦中に巻き込まれた小平は、我が国の数学教育の「現代化」運動に積極的に反対の発言をした。その「現代化」運動は我が国の数学教育に取り返しのつかない後遺症を残した。そのために、「現代化」で追放された初等幾何学の重要性を小平は絶えず説き、その復活のために活動をしたが、ついにかなわなかった。小平が説いたのは中等教育に相応しい首尾一貫した初等幾何の教育であった。この点に関しては岩波現代文庫『幾何への誘い』を参照していただきたい。

ところで、特殊な例をもって一般論に反対するという我が国の教育関係者によくある反応を本書に垣間見ることができる(二三二ページ)。初等幾何の授業を受けていない若い人が幾何学的な直観を発揮しているという指摘に対して、小平はそれは幾何学的な才能に恵まれた例外であるとして、扇谷正造の例をあげて一般の生徒にとって集中して学習することの重要性を指摘している。誠実であった小平は、その一方ですべての人がこうした訓練で幾何学的な能力を獲得できるかは不明としている。しかし、ともすれば「公理化された子供」(一一五ページ)を対象としたがる我が国の教育者には、こうした小平の誠実な態度が理解できなかった。「このままでは日本は危ない」や「原則を忘れた初等・中等教育」では我が国の教育の持つ問題点が明確に指摘してあり、多くの心ある人たちの賛同は得られたが、我が国の教育の流れを変えることはできなかった。「まず基礎的な教科を十分時間を掛けて徹底的に教え、他の教科は適齢に達してからゆっくり教える、という行き方に改めるべきであると思います。(中略)もしも教科の間の勢力争いのようなものがあって、これができないということならば、学生の学力低下は続き、科学技術における外国との競争に敗れ、経済は停滞し、日本の繁栄は終焉を迎えることになると思います。」(八二ページ)という一九八三年の小平の指摘は、「二一世紀の主役」への教育関係者の不誠実な態度によって今や現実のものとなりつつある。

小平は単に我が国の教育を批判するだけでなく、自ら高校数学の教科書を執筆編集した。それは我が国の数学教科書の最高峰であり、かつて我が国の数学教育が極めて高い水準を維持していたことを示す記念碑的役割を担うものとなった。この教科書のうち、高校一、二年生用の部分の英訳はアメリカ数学会から出版されており、現在でも入手可能である。

我が国の教科書の方が入手不可能になってしまっている現状は、我が国の教育の現状を語って余りあるものである。

小平はそれほど多くの文書を残さなかったが、長い時間をかけて推敲された文章は示唆に富むものが多い。数学とはまたその研究とはどのようなものであるのか、教育はどうあるべきか、科学・技術社会の将来はどうなるのか、読むものに多くの示唆を与える。本書が多くの読者を得て我が国と現代文明の将来を考える一助となることを期待したい。なお、本書を相補う小平の著作に『ボクは算数しか出来なかった』があることを挙げておきたい。

（数学者）

本書は、一九八六年五月に岩波書店から刊行された。
本文庫は、新編集版である。

怠け数学者の記

2000年8月17日　第1刷発行
2023年8月4日　第14刷発行

著　者　小平邦彦《こだいらくにひこ》

発行者　坂本政謙

発行所　株式会社　岩波書店
〒101-8002 東京都千代田区一ツ橋2-5-5

案内 03-5210-4000　営業部 03-5210-4111
https://www.iwanami.co.jp/

印刷・精興社　製本・中永製本

ISBN 978-4-00-603019-3　Printed in Japan

岩波現代文庫創刊二〇年に際して

二一世紀が始まってからすでに二〇年が経とうとしています。この間のグローバル化の急激な進行は世界のあり方を大きく変えました。世界規模で経済や情報の結びつきが強まるとともに、国境を越えた人の移動は日常の光景となり、今やどこに住んでいても、私たちの暮らしは世界中の様々な出来事と無関係ではいられません。しかし、グローバル化の中で否応なくもたらされる「他者」との出会いや交流は、新たな文化や価値観だけではなく、摩擦や衝突、そしてしばしば憎悪までをも生み出しています。グローバル化にともなう副作用は、その恩恵を遥かにこえていると言わざるを得ません。

今私たちに求められているのは、国内、国外にかかわらず、異なる歴史や経験、文化を持つ「他者」と向き合い、よりよい関係を結び直してゆくための想像力、構想力ではないでしょうか。

新世紀の到来を目前にした二〇〇〇年一月に創刊された岩波現代文庫は、この二〇年を通して、哲学や歴史、経済、自然科学から、小説やエッセイ、ルポルタージュにいたるまで幅広いジャンルの書目を刊行してきました。一〇〇〇点を超える書目には、人類が直面してきた様々な課題と、試行錯誤の営みが刻まれています。読書を通した過去の「他者」との出会いから得られる知識や経験は、私たちがよりよい社会を作り上げてゆくために大きな示唆を与えてくれるはずです。

一冊の本が世界を変える大きな力を持つことを信じ、岩波現代文庫はこれからもさらなるラインナップの充実をめざしてゆきます。

（二〇二〇年一月）

S302
機会不平等
斎藤貴男

機会すら平等に与えられない〝新たな階級社会の現出〟を粘り強い取材で明らかにした衝撃の著作。最新事情をめぐる新章と、森永卓郎氏との対談を増補。

S303
私の沖縄現代史
―米軍支配時代を日本〈ヤマト〉で生きて―
新崎盛暉

敗戦から返還に至るまでの沖縄と日本の激動の同時代史を、自らの歩みと重ねて描く。日本〈ヤマト〉で「沖縄を生きた」半生の回顧録。岩波現代文庫オリジナル版。

S304
私の生きた証はどこにあるのか
―大人のための人生論―
H.S.クシュナー
松宮克昌訳

私の人生にはどんな意味があったのか？　人生の後半を迎え、空虚感に襲われる人々に旧約聖書の言葉などを引用し、悩みの解決法を提示。岩波現代文庫オリジナル版。

S305
戦後日本のジャズ文化
―映画・文学・アングラ―
マイク・モラスキー

占領軍とともに入ってきたジャズは、アメリカそのものだった！　映画、文学作品等の中のジャズを通して、戦後日本社会を読み解く。

S306
村山富市回顧録
薬師寺克行編

戦後五五年体制の一翼を担っていた日本社会党は、その誕生から常に抗争を内部にはらんでいた。その最後に立ち会った元首相が見たものは。

2023.7

岩波現代文庫［社会］

S307
大逆事件
―死と生の群像―
田中伸尚

天皇制国家が生み出した最大の思想弾圧「大逆事件」。巻き込まれた人々の死と生を描き出し、近代史の暗部を現代に照らし出す。〈解説〉田中優子

S308
「どんぐりの家」のデッサン
漫画で障害者を描く
山本おさむ

かつて障害者を漫画で描くことはタブーだった。漫画家としての著者の経験から考えてきた、障害者を取り巻く状況を、創作過程の試行錯誤を交え、率直に語る。

S309
鎖塚
―自由民権と囚人労働の記録―
小池喜孝

北海道開拓のため無残な死を強いられた囚人たちの墓、鎖塚。犠牲者は誰か。なぜその地で死んだのか。日本近代の暗部をあばく迫力のドキュメント。〈解説〉色川大吉

S310
聞き書 野中広務回顧録
御厨貴
牧原出 編

二〇一八年一月に亡くなった、平成の政治をリードした野中広務氏が残したメッセージ。五五年体制が崩れていくときに自民党の中で野中氏が見ていたものは。〈解説〉中島岳志

S311
不敗のドキュメンタリー
―水俣を撮りつづけて―
土本典昭

『水俣―患者さんとその世界―』『医学としての水俣病』『不知火海』などの名作映画の作り手の思想と仕事が、精選した文章群から甦る。〈解説〉栗原　彬

2023.7

S312
増補 隔離 ―故郷を追われたハンセン病者たち―
徳永進
らい予防法が廃止され、国の法的責任が明らかになった後も、ハンセン病隔離政策が終わり解決したわけではなかった。回復者たちの現在の声をも伝える増補版。〈解説〉宮坂道夫

S313
沖縄の歩み
国場幸太郎
新川明
鹿野政直 編
米軍占領下の沖縄で抵抗運動に献身した著者が、復帰直後に若い世代に向けてやさしく説き明かした沖縄通史。幻の名著がいま蘇る。〈解説〉新川明・鹿野政直

S314
ぼくたちはこうして学者になった ―脳・チンパンジー・人間―
松本元
松沢哲郎
「人間とは何か」を知ろうと、それぞれ新たな学問を切り拓いてきた二人は、どのような生い立ちや出会いを経て、何を学んだのか。

S315
ニクソンのアメリカ ―アメリカ第一主義の起源―
松尾文夫
白人中産層に徹底的に迎合する内政と、中国との和解を果たした外交。ニクソンのしたたかな論理に迫った名著を再編集した決定版。〈解説〉西山隆行

S316
負ける建築
隈研吾
コンクリートから木造へ。「勝つ建築」から「負ける建築」へ。新国立競技場の設計に携わった著者の、独自の建築哲学が窺える論集。

2023. 7

S317
全盲の弁護士　竹下義樹
小林照幸

視覚障害をものともせず、九度の挑戦を経て弁護士の夢をつかんだ男、竹下義樹。読む人の心を揺さぶる傑作ノンフィクション！

S318
一粒の柿の種
―科学と文化を語る―
渡辺政隆

身の回りを科学の目で見れば…。その何と楽しいことか！　文学や漫画を科学の目で楽しむコツを披露。科学教育や疑似科学にも一言。〈解説〉最相葉月

S319
聞き書　緒方貞子回顧録
野林健
納家政嗣　編

「人の命を助けること」、これに尽きます――。国連難民高等弁務官をつとめ、「人間の安全保障」を提起した緒方貞子。人生とともに、世界と日本を語る。〈解説〉中満泉

S320
「無罪」を見抜く
―裁判官・木谷明の生き方―
木谷明
山田隆司
嘉多山宗　聞き手・編

有罪率が高い日本の刑事裁判において、在職中いくつもの無罪判決を出し、その全てが確定した裁判官は、いかにして無罪を見抜いたのか。〈解説〉門野博

S321
聖路加病院　生と死の現場
早瀬圭一

医療と看護の原点を描いた『聖路加病院で働くということ』に、緩和ケア病棟での出会いと別れの新章を増補。〈解説〉山根基世

S322
菌世界紀行
―誰も知らないきのこを追って―
星野保

大の男が這いつくばって、世界中の寒冷地にきのこを探す。雪の下でしたたかに生きる菌たちの生態とともに綴る、とっておきの〈菌道中〉。〈解説〉渡邊十絲子

S323-324
キッシンジャー回想録 中国(上・下)
ヘンリー・A・キッシンジャー
塚越敏彦ほか訳

世界中に衝撃を与えた米中和解の立役者であるキッシンジャー。国際政治の現実と中国の論理を誰よりも知り尽くした彼が綴った、決定的「中国論」。〈解説〉松尾文夫

S325
井上ひさしの憲法指南
井上ひさし

「日本国憲法は最高の傑作」と語る井上ひさし。憲法の基本を分かりやすく説いたエッセイ、講演録を収めました。〈解説〉小森陽一

S326
増補版 日本レスリングの物語
柳澤健

草創期から現在まで、無数のドラマを描きる日本レスリングの「正史」にしてエンターテインメント。〈解説〉夢枕獏

S327
抵抗の新聞人 桐生悠々
井出孫六

日米開戦前夜まで、反戦と不正追及の姿勢を貫きジャーナリズム史上に屹立する桐生悠々。その烈々たる生涯。巻末には五男による〈親子関係〉の回想文を収録。〈解説〉青木理

S328
人は愛するに足り、真心は信ずるに足る
――アフガンとの約束――
中村 哲
澤地久枝（聞き手）

戦乱と劣悪な自然環境に苦しむアフガンで、人々の命を救うべく身命を賭して活動を続けた故・中村哲医師が熱い思いを語った貴重な記録。

S329
負け組のメディア史
――天下無敵 野依秀市伝――
佐藤卓己

明治末期から戦後にかけて「言論界の暴れん坊」の異名をとった男、野依秀市。忘れられた桁外れの鬼才に着目したメディア史を描く。〈解説〉平山 昇

S330
ヨーロッパ・コーリング・リターンズ
――社会・政治時評クロニクル 2014-2021――
ブレイディみかこ

人か資本か。優先順位を間違えた政治は希望を奪い貧困と分断を拡大させる。地べたから英国を読み解き日本を照らす、最新時評集。

S331
増補版 悪役レスラーは笑う
――「卑劣なジャップ」グレート東郷――
森 達也

第二次大戦後の米国プロレス界で「卑劣な日本人」を演じ、巨万の富を築いた伝説の悪役レスラーがいた。謎に満ちた男の素顔に迫る。

S332
戦争と罪責
野田正彰

旧兵士たちの内面を精神病理学者が丹念に聞き取る。罪の意識を抑圧する文化において豊かな感情を取り戻す道を探る。

2023. 7

岩波現代文庫[社会]

S333
孤塁
――双葉郡消防士たちの3・11――
吉田千亜

原発が暴走するなか、住民救助や避難誘導、原発構内での活動にもあたった双葉消防本部の消防士たち。その苦闘を初めてすくいあげた迫力作。新たに「『孤塁』その後」を加筆。

S334
ウクライナ 通貨誕生
――独立の命運を賭けた闘い――
西谷公明

自国通貨創造の現場に身を置いた日本人エコノミストによるゼロからの国づくりの記録。二〇一四年、二〇二二年の追記を収録。〈解説〉佐藤 優

S335
「科学にすがるな!」
――宇宙と死をめぐる特別授業――
佐藤文隆
艸場よしみ

「死とは何かの答えを宇宙に求めるな」と科学論に基づいて答える科学者vs.死の意味を問い続ける女性。3・11をはさんだ激闘の記録。〈解説〉サンキュータツオ

S336
増補 空疎な小皇帝
「石原慎太郎」という問題
斎藤貴男

差別的な言動でポピュリズムや排外主義を煽りながら、東京都知事として君臨した石原慎太郎。現代に引き継がれる「負の遺産」を、いま改めて問う。新取材を加え大幅に増補。

S337
鳥肉以上、鳥学未満。
――Human Chicken Interface――
川上和人

ボンジリってお尻じゃないの? 鳥の首はろくろ首!? トリビアもネタも満載。キッチンから始まる、とびっきりのサイエンス。〈解説〉枝元なほみ

岩波現代文庫［社会］

S338-339
あしなが運動と玉井義臣（上・下）
―歴史社会学からの考察―
副田義也

日本有数のボランティア運動の軌跡を描き出し、そのリーダー、玉井義臣の活動の意義を歴史社会学的に考察。〈解説〉苅谷剛彦

S340
大地の動きをさぐる
杉村新

地球の大きな営みに迫ろうとする思考の道筋と、仲間とのつながりがからみあい、研究は深まり広がっていく。プレートテクトニクス成立前夜の金字塔的名著。〈解説〉斎藤靖二

S341
歌うカタツムリ
―進化とらせんの物語―
千葉聡

実はカタツムリは、進化研究の華だった。行きつ戻りつしながら前進する研究の営みと、カタツムリの進化を重ねた壮大な歴史絵巻。〈解説〉河田雅圭

S342
戦慄の記録　インパール
NHKスペシャル取材班

三万人もの死者を出した作戦は、どのように立案・遂行されたのか。牟田口司令官の肉声や兵士の証言から全貌に迫る。〈解説〉大木毅

2023.7